Graça Maria Lemos Ferreira

Mestre em Geografia pela Faculdade de Filosofia,
Letras e Ciências Humanas da Universidade de São Paulo.
Professora dos Departamentos de Geografia e de Educação
da Pontifícia Universidade Católica de São Paulo.
Professora e assessora de Geografia no Ensino Fundamental e Médio.

MODERNO ATLAS GEOGRÁFICO

Visualização cartográfica:
Marcello Martinelli

Professor Livre-docente do Departamento de Geografia
da Faculdade de Filosofia, Letras e Ciências Humanas
da Universidade de São Paulo.

5ª edição
revista e ampliada

Moderna

Moderna

Coordenação editorial: Fernando Vedovate, Wagner Nicaretta
Edição: Ana Carolina F. Muniz, Wagner Nicaretta
Assistência editorial: Angélica Campos Nakamura, Bárbara Berges, Cesar Brumini Dellore, Daiane Ciriáco
Coordenação de *design* e projetos visuais: Sandra Botelho de Carvalho Homma
Projeto gráfico: Daniel de Souza Fantini
Capa: Daniel de Souza Fantini
Fotos: Composição do planeta Terra sobre fundo espacial © NASA/NOAA/SPL/Getty Images; NASA/ESA/T. M. Brown
Vista do Pão de Açúcar ao entardecer © Eduardo Garcia/Taxi/Getty Images
Fiorde Sognefjorden, Noruega © Paul Thompson/Corbis/Latinstock
Savana no Serengeti National Park, Tanzânia © Blaine Harrington III/Corbis/Latinstock
Central Park em Nova York, EUA © Michael Yamashita/Corbis/Latinstock
Coordenação de produção gráfica: André Monteiro, Maria de Lourdes Rodrigues
Coordenação de arte: Maria Lucia Ferreira Couto
Edição de arte: Telma Torres Blaiotta
Visualização cartográfica: Marcello Martinelli
Ilustrações de vinhetas: Marcello Martinelli
Ilustrações: Marcus Penna, Vagner Vargas
Cartografia computadorizada: Alessandro Passos da Costa, Anderson de Andrade Pimentel, Fernando José Ferreira
Coordenação de revisão: Elaine Cristina del Nero
Revisão: Afonso N. Lopes, Ana Cortazzo, Ana Maria C. Tavares, Fernanda Marcelino, Luís M. Boa Nova, Maristela S. Carrasco, Millyane M. Moura, Nancy H. Dias
Pesquisa iconográfica: Camila D'Angelo, Evelyn Torrecilla
As imagens identificadas com a sigla CID foram fornecidas pelo Centro de Informação e Documentação da Editora Moderna.
Coordenação de *bureau*: Américo Jesus
Tratamento de imagens: Fabio N. Precendo, Rubens M. Rodrigues
Pré-impressão: Alexandre Petreca, Everton L. de Oliveira Silva, Helio P. de Souza Filho, Marcio H. Kamoto
Coordenação de produção industrial: Wilson Aparecido Troque
Impressão e acabamento: Ipsis Gráfica e Editora

Dados Internacionais de Catalogação na Publicação (CIP)
(Câmara Brasileira do Livro, SP, Brasil)

Ferreira, Graça Maria Lemos
Moderno atlas geográfico / Graça Maria Lemos Ferreira ; visualização cartográfica Marcello Martinelli. — 5. ed. rev. e ampl. — São Paulo : Moderna, 2011.

Bibliografia.

1. Atlas I. Martinelli, Marcello. II. Título.

11-07916 CDD-912

Índices para catálogo sistemático:
1. Atlas : Geografia 912

ISBN 978-85-16-07137-0 (LA)
ISBN 978-85-16-07138-7 (LP)

EDITORA MODERNA LTDA.
Rua Padre Adelino, 758 - Belenzinho
São Paulo - SP - Brasil - CEP 03303-904
Vendas e Atendimento: Tel. (0_ _11) 2602-5510
Fax (0_ _11) 2790-1501
www.moderna.com.br
2012
Impresso no Brasil

1 3 5 7 9 10 8 6 4 2

Na capa da 5ª edição do *Moderno atlas geográfico*, a aplicação de texturas diferencia os oceanos e as áreas continentais, com destaque para as porções mais elevadas do relevo.

CARTOGRAFIA

BRASIL

REGIONAIS DO BRASIL

REGIONAIS DO MUNDO

OS PLANISFÉRIOS

EIXO URBANIZADO São Paulo – Rio de Janeiro

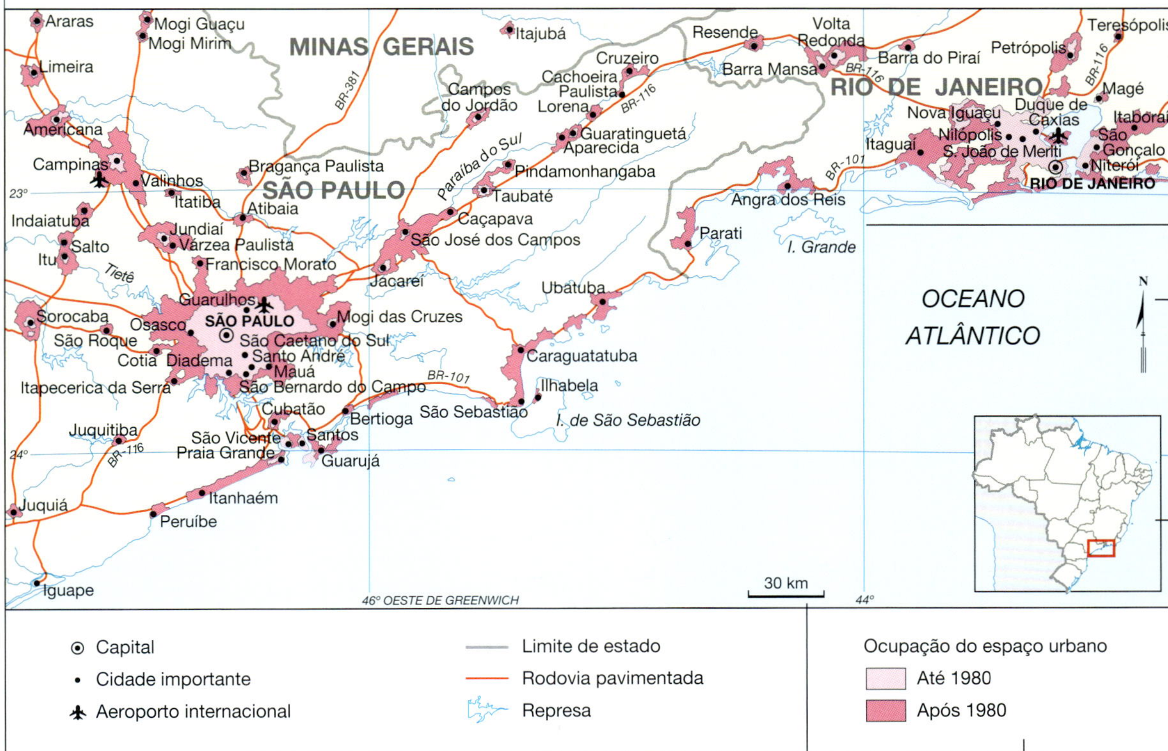

Fonte: IBGE, 2009.

O **título** informa o que o mapa mostra: o lugar e o tema do mapa.

Os paralelos e os meridianos, medidos em graus, permitem determinar as coordenadas geográficas de qualquer lugar no mapa.

A **orientação** indica a posição do lugar representado pelo mapa em relação aos pontos cardeais. A ponta da seta está orientada para o norte.

O **mapa localizador** mostra onde está situado o espaço detalhado no mapa principal.

A **fonte** indica a origem dos dados para a elaboração do mapa.

A **escala** é a relação entre as medidas do mapa e as medidas correspondentes no terreno.

A **legenda** informa o significado de símbolos e cores usados no mapa.

COORDENADAS GEOGRÁFICAS

LATITUDE – PARALELOS

Brasília está 15° (15 graus) ao sul do Equador (0°).

LONGITUDE – MERIDIANOS

Brasília está 47° (47 graus) a oeste do Meridiano de Greenwich (0°).

As coordenadas geográficas de Brasília são: 15° de latitude sul e 47° de longitude oeste.

REPRESENTAÇÃO GRÁFICA DOS DADOS

A representação gráfica no mapa deve ser coerente com os dados representados. A diversidade de informações e as relações de ordem e proporcionalidade entre esses dados são representadas no mapa por **pontos**, **linhas** ou **áreas**.

Pontos

Mostram a localização exata.

Linhas

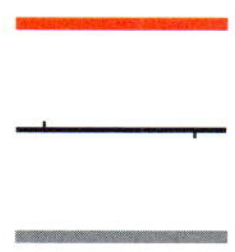

Mostram limites e redes.

Áreas

Mostram a forma e a extensão dos dados representados.

REPRESENTAÇÃO DE DADOS QUANTITATIVOS

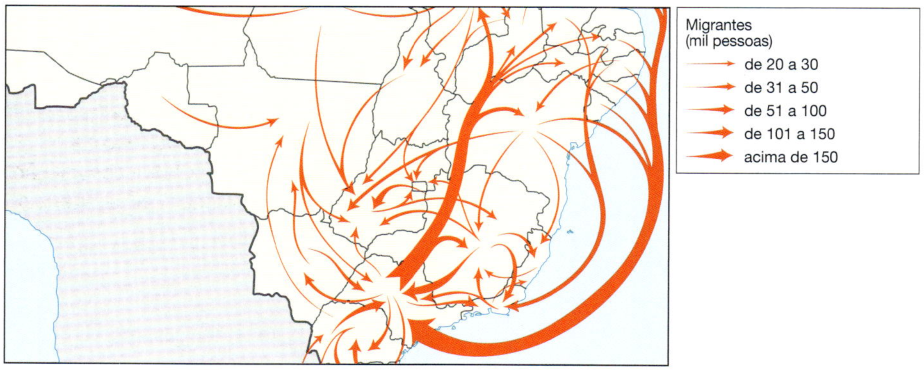

BRASIL FLUXO MIGRATÓRIO
página 29

A proporcionalidade entre os dados quantitativos absolutos é representada no mapa pela variação de espessura das setas. As quantidades de migrantes foram agrupadas por classes, em ordem crescente, ligadas por uma relação de proporcionalidade.

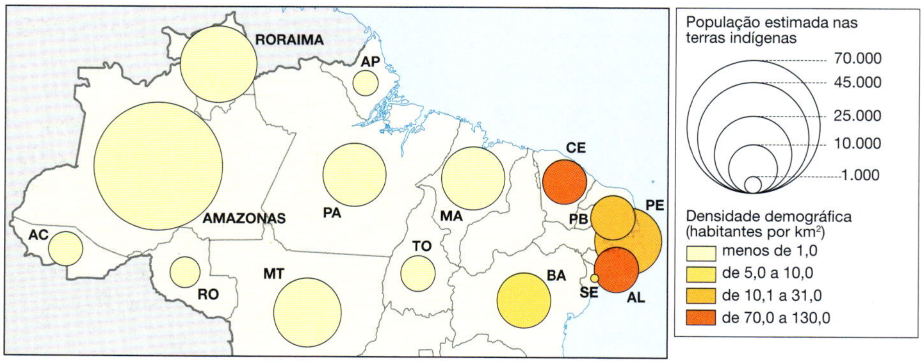

BRASIL POPULAÇÃO INDÍGENA
página 26

Os dados numéricos absolutos e relativos foram representados por meio da combinação de círculos de tamanhos variados com uma ordem visual de cores. Os círculos representam a população indígena total (no estado). A cor, ordenada em classes, mostra a densidade demográfica.

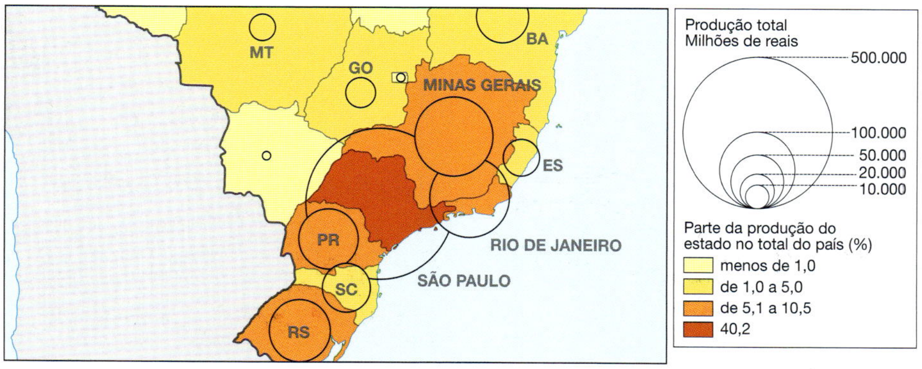

BRASIL PRODUÇÃO INDUSTRIAL
página 31

Os círculos de tamanhos variados mostram o valor total absoluto da produção industrial em cada estado. A gradação de cores indica a parte da produção estadual no total da produção industrial do país. A combinação de quantidades absolutas e relativas permite uma visão mais completa do fenômeno estudado.

REPRESENTAÇÃO DE DADOS QUALITATIVOS E DADOS ORDENADOS

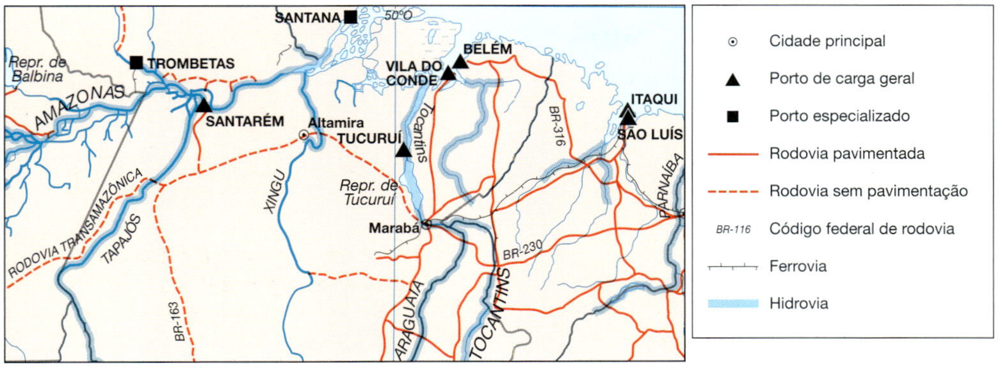

BRASIL TRANSPORTES
página 34

Pontos diferenciados representam ocorrências pontuais no mapa, indicando a localização dos portos e cidades. As linhas diferenciadas representam a rede de transportes: ferrovias, hidrovias, rodovias pavimentadas e rodovias sem pavimentação.

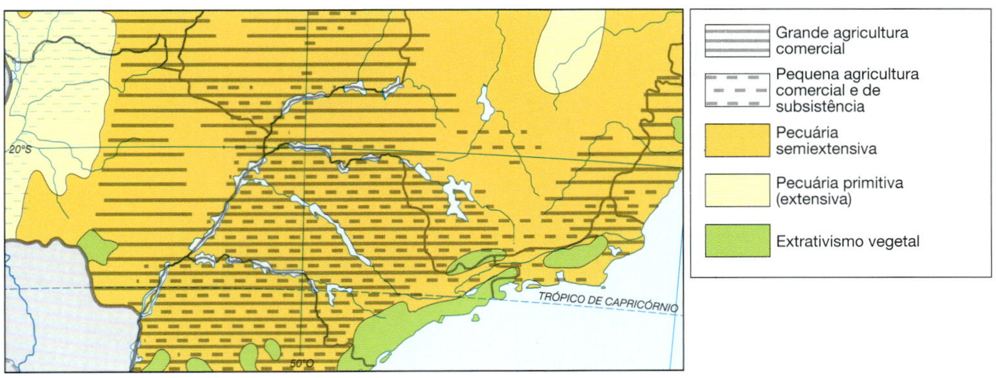

BRASIL USO DA TERRA
página 32

Há no mapa uma sobreposição de dados qualitativos. As diferentes áreas de uso da terra são representadas por meio da associação de cores e hachuras para indicar a abrangência dos diferentes elementos.

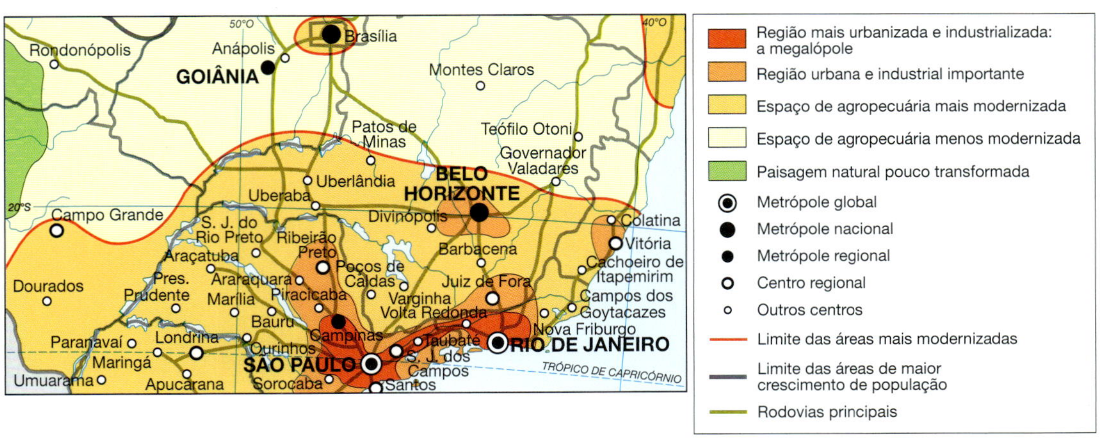

BRASIL ORGANIZAÇÃO DO ESPAÇO
página 35

O uso de cores em gradação destaca a oposição entre o espaço intensamente ocupado e organizado pela sociedade (vermelho) e o espaço natural (verde). Os pontos registram a hierarquia das cidades. As linhas diferenciadas representam limites de áreas com qualidades específicas e a rede rodoviária.

UNIÃO EUROPEIA EVOLUÇÃO
página 65

A evolução no tempo é representada por uma sucessão de cores ordenadas. O mapa revela o dinamismo do acontecimento no tempo e no espaço.

DA IMAGEM AO MAPA

BASE – AEROFOTOGRAMETRIA E PROJETOS S.A.

Fotografia aérea do município de Biritiba Mirim (SP).

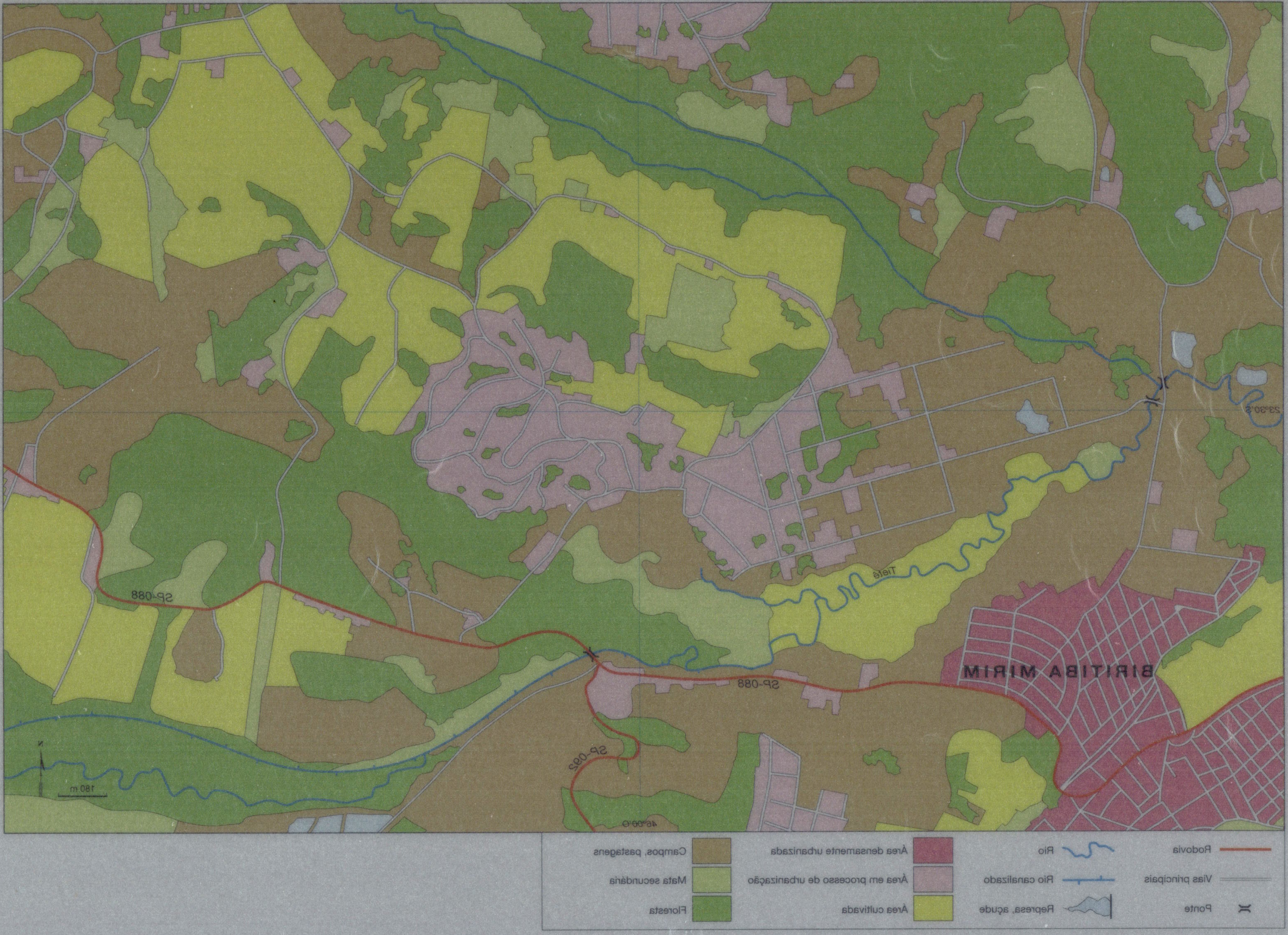

BIRITIBA MIRIM
Tietê
SP-088
SP-092
180 m
23°30'S
46°00'O
Rodovia
Vias principais
Ponte
Rio
Rio canalizado
Represa, açude
Área densamente urbanizada
Área em processo de urbanização
Área cultivada
Campos, pastagens
Mata secundária
Floresta

BIRITIBA MIRIM
Tietê
SP-088
SP-088
SP-092
23°30'S
46°00'O
N
180 m
Rodovia
Vias principais
Ponte
Rio
Rio canalizado
Represa, açude
Área densamente urbanizada
Área em processo de urbanização
Área cultivada
Campos, pastagens
Mata secundária
Floresta

FOTO OBLÍQUA DA PAISAGEM – Rio de Janeiro

ROGÉRIO REIS / TYBA

FOTO VERTICAL DA PAISAGEM – Rio de Janeiro

BASE – AEROFOTOGRAMETRIA E PROJETOS S.A.

MAPA – Rio de Janeiro

ESCALA

Escala é a relação entre as medidas no mapa e as medidas correspondentes no terreno. A escala revela o número de vezes que o tamanho real foi reduzido proporcionalmente para caber no mapa. Por exemplo, em uma escala 1 : 20.000 – lê-se "um para vinte mil" – um centímetro no mapa corresponde a 20.000 centímetros (ou 200 m) no terreno.

BASE – AEROFOTOGRAMETRIA E PROJETOS S.A.

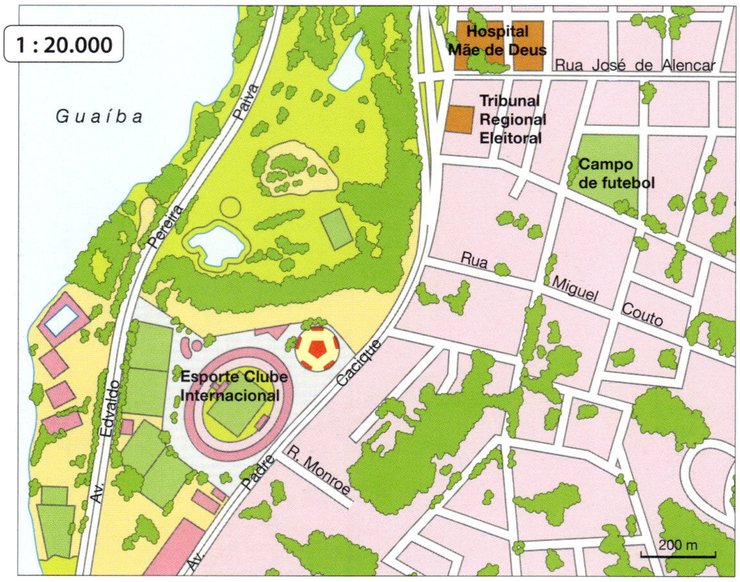

BASE – AEROFOTOGRAMETRIA E PROJETOS S.A.

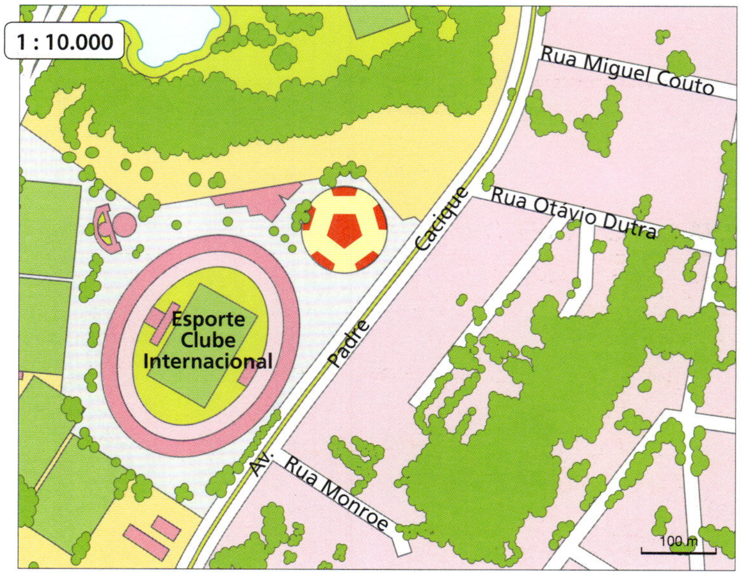

BASE – AEROFOTOGRAMETRIA E PROJETOS S.A.

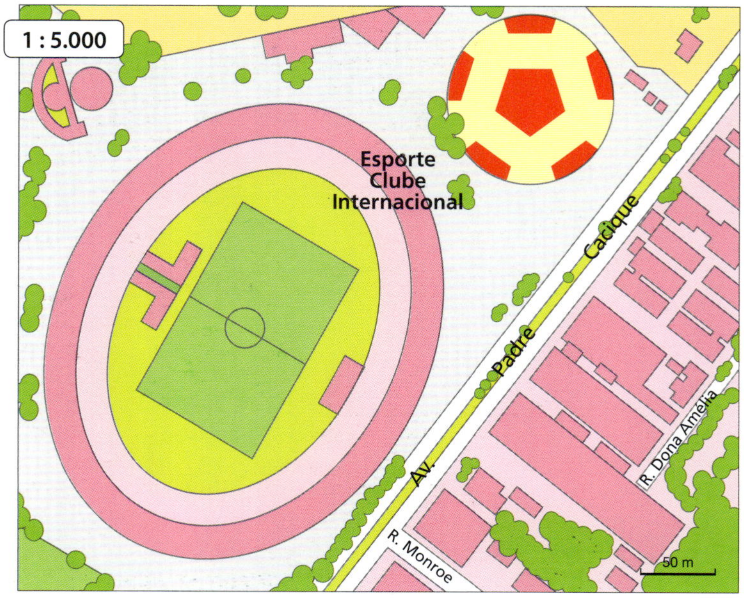

PLANTA

ESCALA 1 : 10.000

0 100 200 m

1 cm = 100 metros

MAPA TOPOGRÁFICO

ESCALA 1 : 50.000

0 500 1.000 m

1 cm = 500 metros

MAPA COROGRÁFICO

ESCALA 1 : 250.000

0 2,5 5 km

1 cm = 2,5 quilômetros

MAPA GEOGRÁFICO

ESCALA 1 : 1.000.000

0 10 20 km

1 cm = 10 quilômetros

Orientação: a direção do norte geográfico é indicada pelo símbolo N, presente na página.

PLANISFÉRIO POLÍTICO

POLO NORTE

POLO SUL

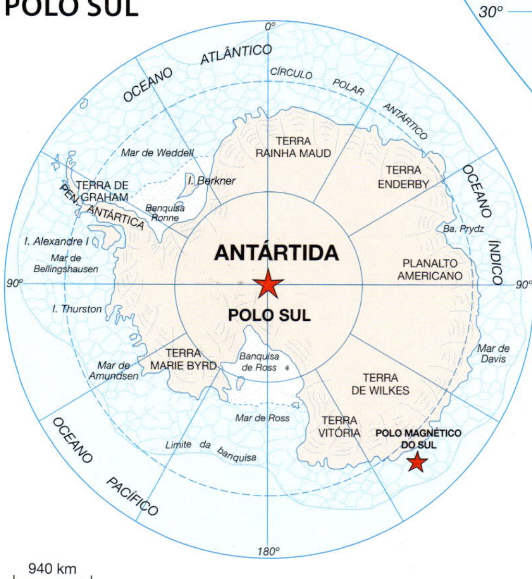

AMÉRICA

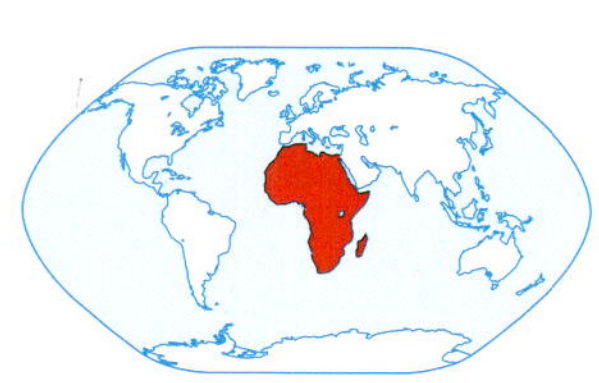
ÁFRICA

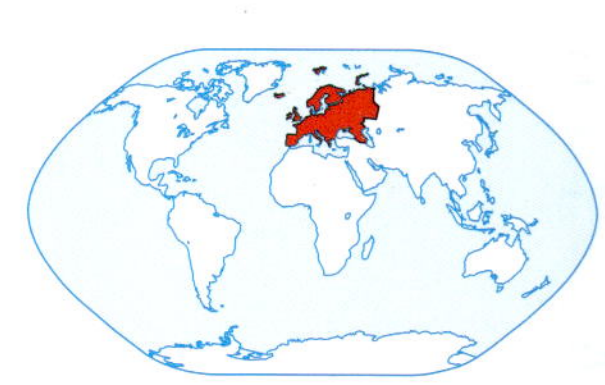
EUROPA

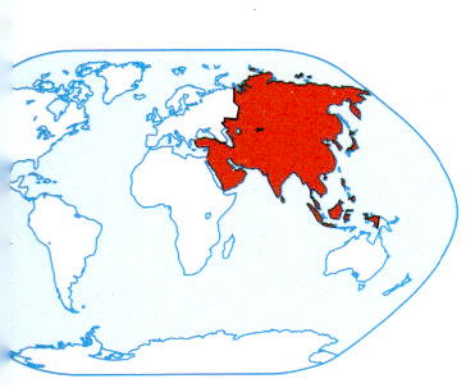

ÁSIA

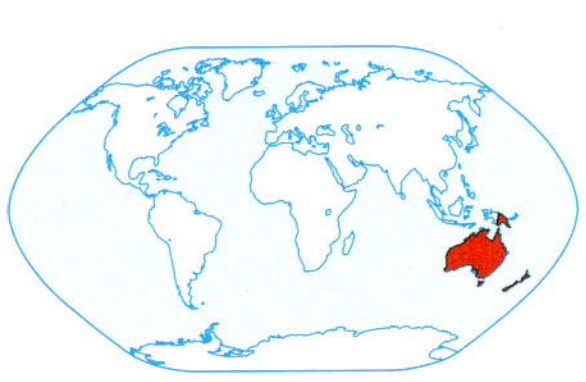

OCEANIA

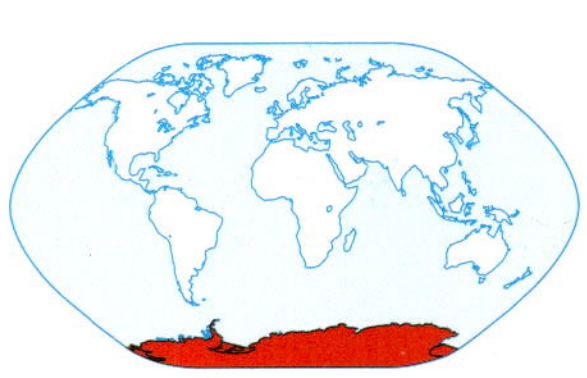

ANTÁRTIDA

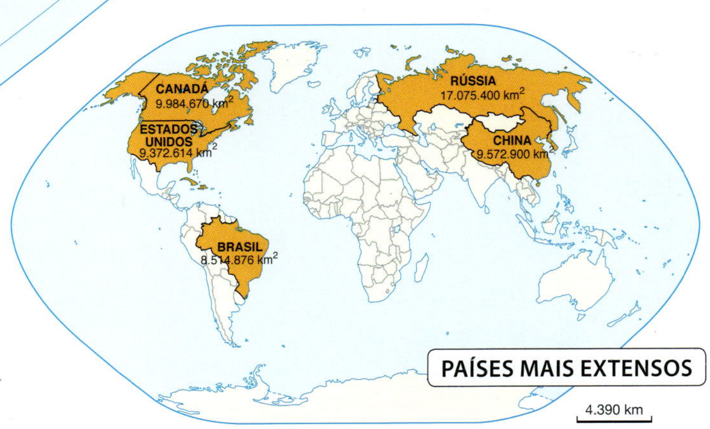

PAÍSES MAIS EXTENSOS

Fonte: DE AGOSTINI, 2010.

REPRESENTAÇÃO DO RELEVO

O relevo é representado no mapa por meio das curvas de nível – linhas que unem os pontos do relevo com a mesma altitude.

PAISAGEM – Pão de Açúcar e Morro da Urca

SILVESTRE MACHADO/OPÇÃO BRASIL IMAGENS

PAISAGEM – Pão de Açúcar e Morro da Urca

SILVESTRE MACHADO/OPÇÃO BRASIL IMAGENS

FOTOGRAFIA AÉREA – Pão de Açúcar e Morro da Urca

BASE – AEROFOTOGRAMETRIA E PROJETOS S.A.

PERFIL

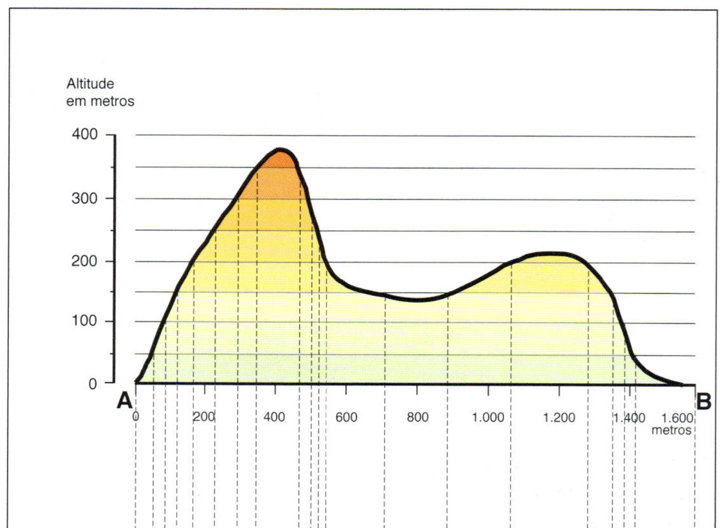

MAPA

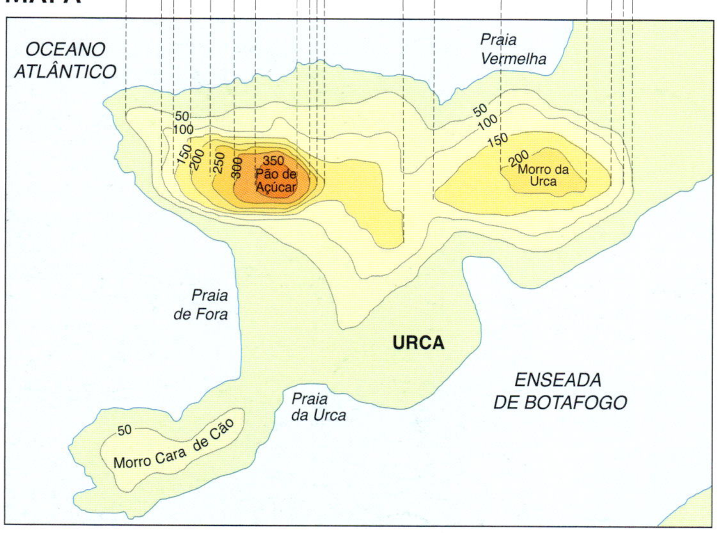

O mapa representa o relevo em curvas de nível, como se você estivesse vendo o relevo de cima para baixo, com visão vertical. A sequência de cores representa as altitudes e a cor mais escura corresponde à maior altitude.

MAPA

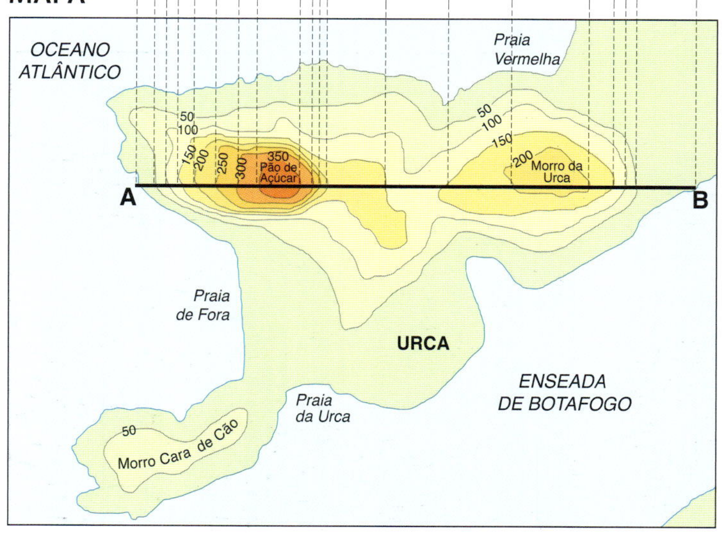

O **perfil topográfico** é a representação de um corte vertical do relevo, evidenciando sua forma e simulando uma visão frontal. O perfil é elaborado com base no mapa de curvas de nível.

PAISAGEM – Baía de Guanabara

MAURICIO SIMONETTI/PULSAR IMAGENS

LEITURA DA PAISAGEM

MAURICIO SIMONETTI/PULSAR IMAGENS

A paisagem apresenta uma visão de conjunto da Baía de Guanabara. Para uma observação mais minuciosa está dividida em três planos.

① **Primeiro plano**

Praia, edifícios, ruas, parte da cidade do Rio de Janeiro.

② **Segundo plano**

Pão de Açúcar, Morro da Urca, Baía de Guanabara, Oceano Atlântico.

③ **Terceiro plano**

Praias, edifícios e morros na cidade de Niterói.

BLOCO-DIAGRAMA

O **bloco-diagrama** permite representar o relevo em três dimensões: largura, profundidade e altura; mostrando a paisagem numa visão oblíqua.

CROQUI

Croqui é um desenho simples que registra os principais elementos de uma paisagem.

ASPECTOS DA SUPERFÍCIE TERRESTRE

Representação em perspectiva da Serra do Mar na região da Baixada Santista (SP).

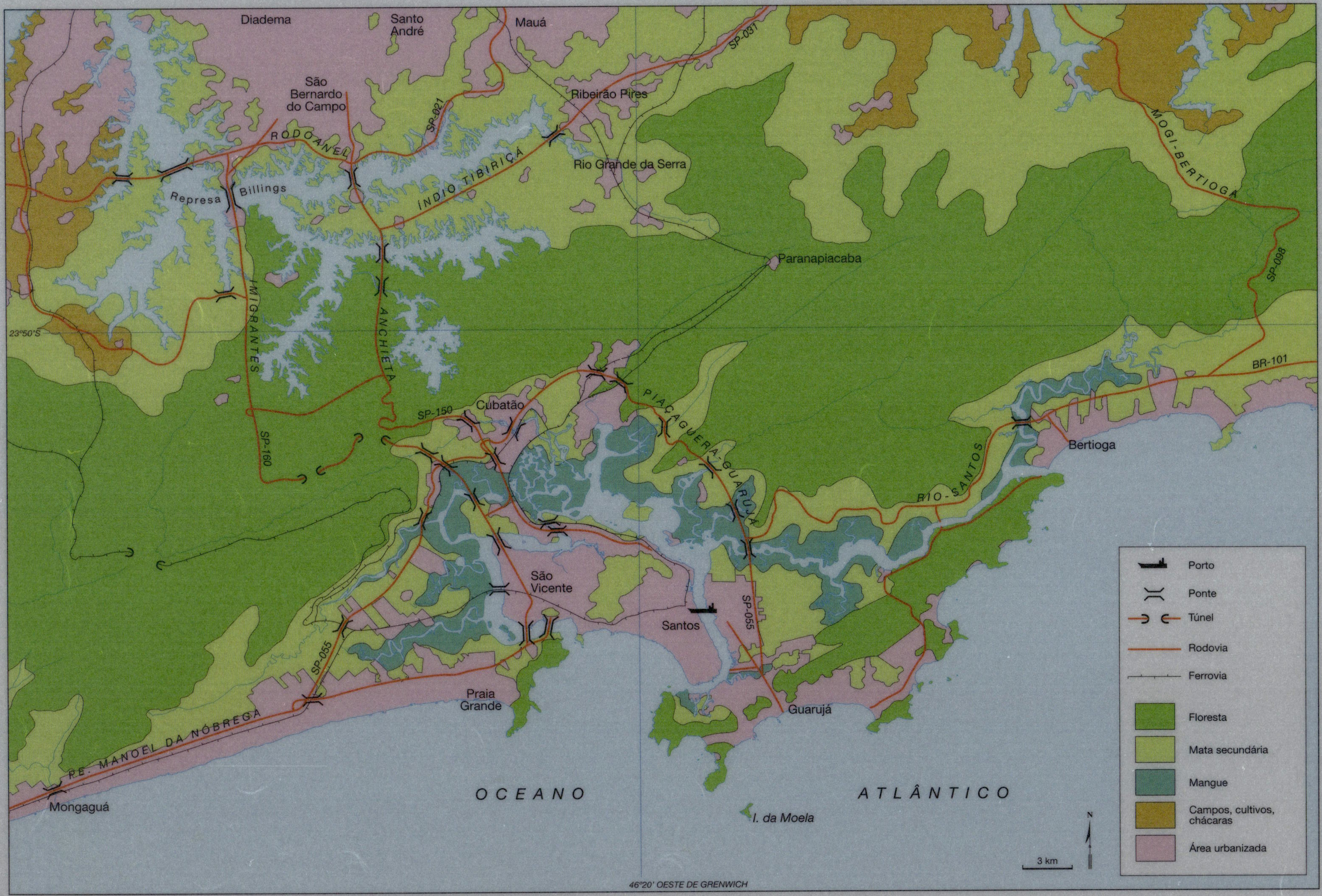
Diadema
Santo André
Mauá
São Bernardo do Campo
Ribeirão Pires
Rio Grande da Serra
Paranapiacaba
Represa Billings
RODOANEL
ÍNDIO TIBIRIÇA
IMIGRANTES
ANCHIETA
MOGI-BERTIOGA
SP-021
SP-031
SP-098
SP-160
SP-150
SP-055
BR-101
23°50'S
Cubatão
PIAÇAGUERA-GUARUJÁ
RIO-SANTOS
Bertioga
São Vicente
Santos
Guarujá
Praia Grande
PE. MANOEL DA NÓBREGA
Mongaguá
OCEANO
ATLÂNTICO
I. da Moela
46°20' OESTE DE GRENWICH
3 km
N
Porto
Ponte
Túnel
Rodovia
Ferrovia
Floresta
Mata secundária
Mangue
Campos, cultivos, chácaras
Área urbanizada

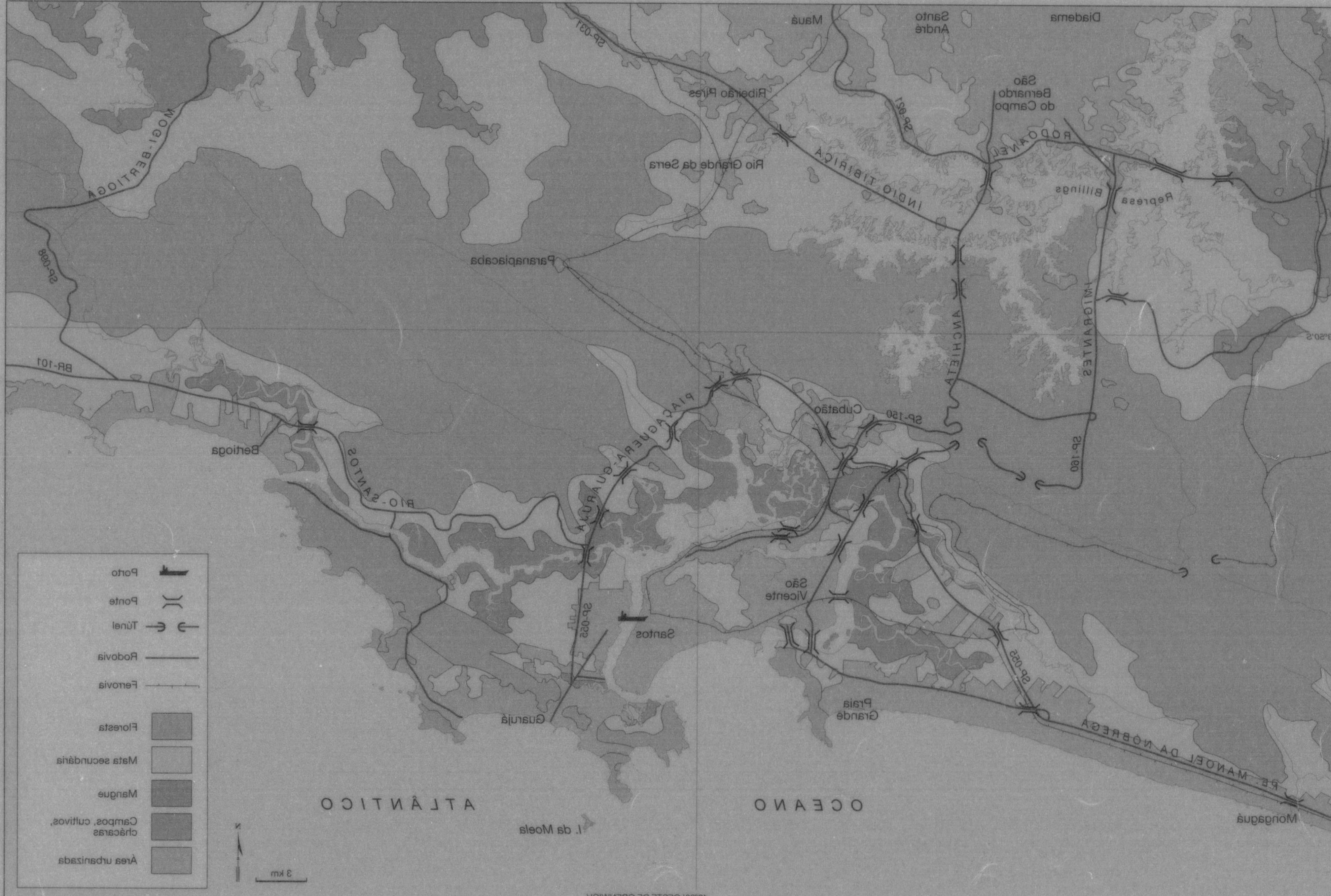

Diadema
Santo André
Mauá
São Bernardo do Campo
Ribeirão Pires
Rio Grande da Serra
Paranapiacaba
Represa Billings
RODOANEL
INDIO TIBIRIÇÁ
ANCHIETA
IMIGRANTES
MOGI-BERTIOGA
SP-031
SP-021
SP-088
SP-150
SP-160
SP-055
BR-101
23°50' S
Cubatão
PIAÇAGUERA-GUARUJÁ
RIO-SANTOS
Bertioga
Santos
São Vicente
Guarujá
Praia Grande
Mongaguá
PE. MANOEL DA NÓBREGA
I. da Moela
OCEANO ATLÂNTICO
Porto
Ponte
Túnel
Rodovia
Ferrovia
Floresta
Mata secundária
Mangue
Campos, cultivos, chácaras
Área urbanizada
N
3 km
46°20' OESTE DE GREENWICH

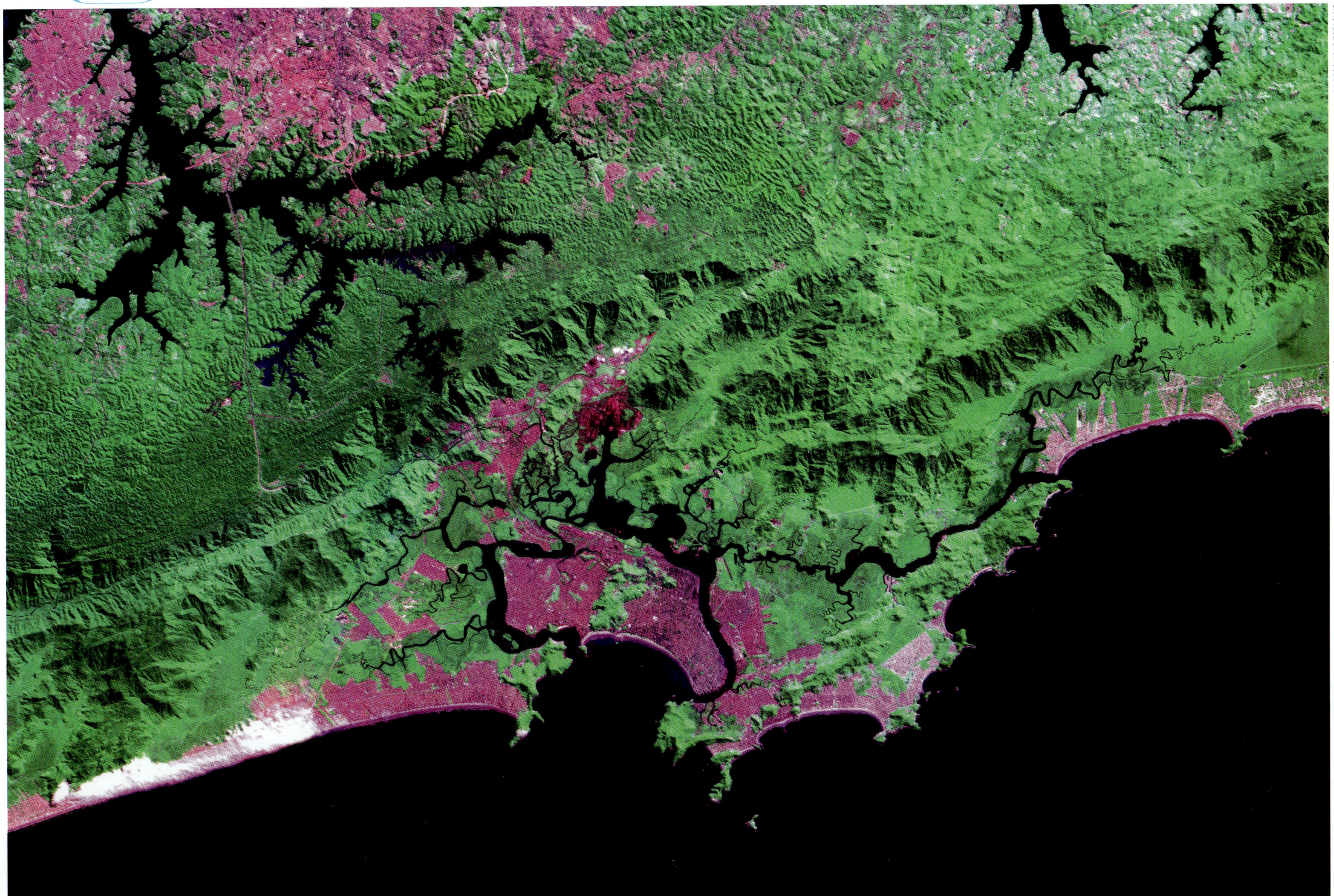

IMAGEM DO SATÉLITE SINO-BRASILEIRO CBERS-2B, CEDIDA PELO INPE - INSTITUTO NACIONAL DE PESQUISAS ESPACIAIS

Imagem de satélite (CBERS-2B) mostrando a porção sul da Região Metropolitana de São Paulo e a Baixada Santista (SP).

DA ESFERA AO PLANO

As projeções cartográficas permitem representar a superfície esférica da Terra sobre uma superfície plana – o mapa. Os tipos básicos são:

PROJEÇÃO CILÍNDRICA

A superfície de projeção é um cilindro envolvendo a esfera terrestre.

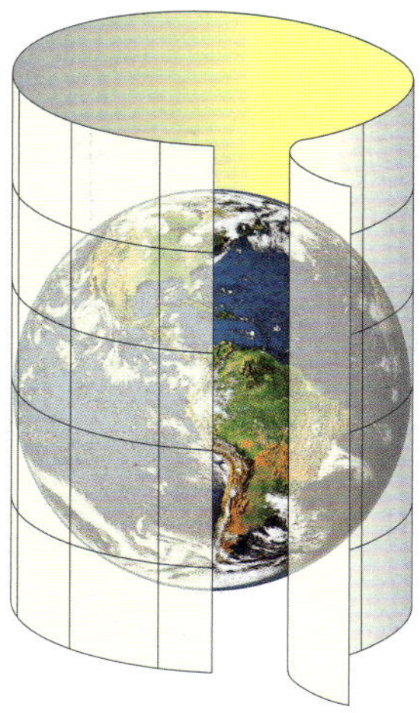

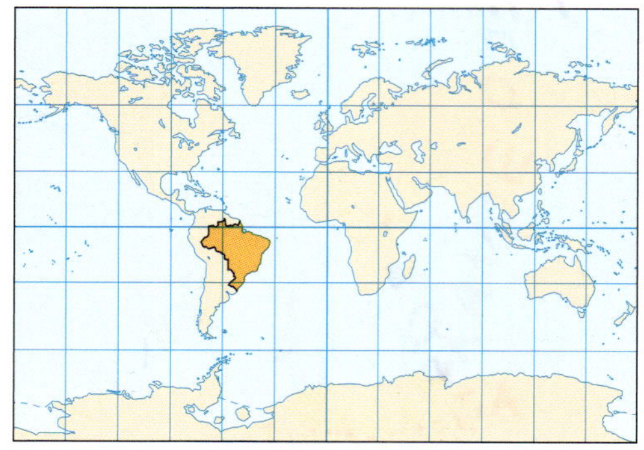

Cilindro desenvolvido em um plano

Os paralelos e os meridianos são retos e perpendiculares entre si.

Exemplo: página 62.

PROJEÇÃO CÔNICA

A superfície de projeção é um cone envolvendo a esfera terrestre.

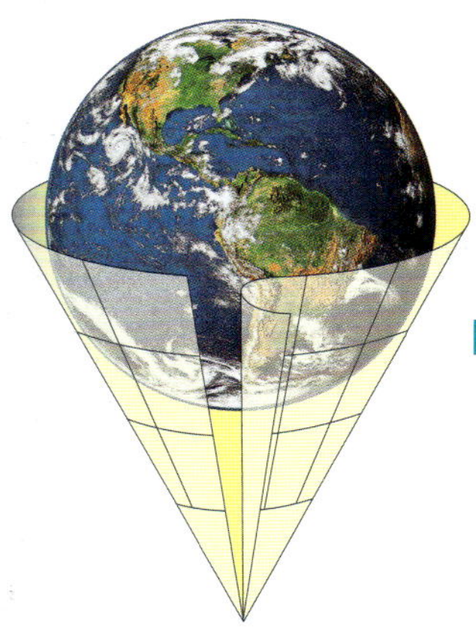

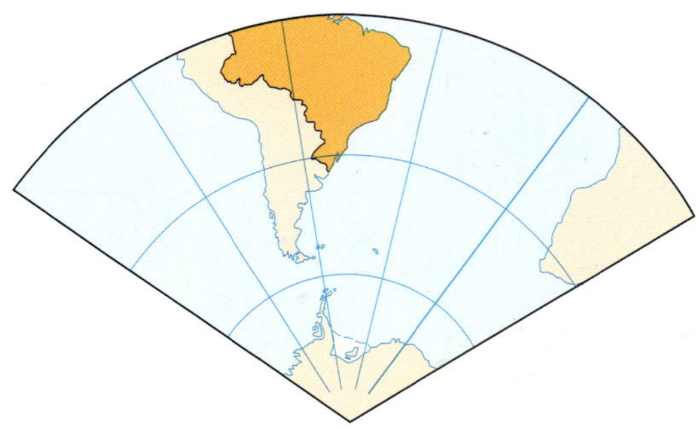

Cone desenvolvido em um plano

Os paralelos são círculos concêntricos e os meridianos retos convergem para os polos.

Exemplo: páginas 51 e 59.

PROJEÇÃO POLAR OU AZIMUTAL

A superfície de projeção é um plano tangente à esfera terrestre.

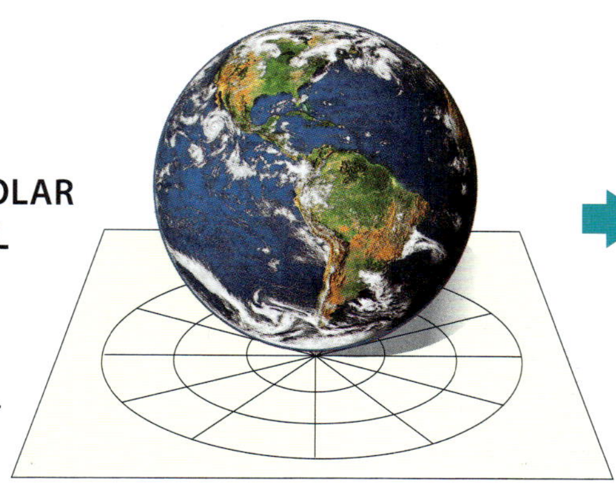

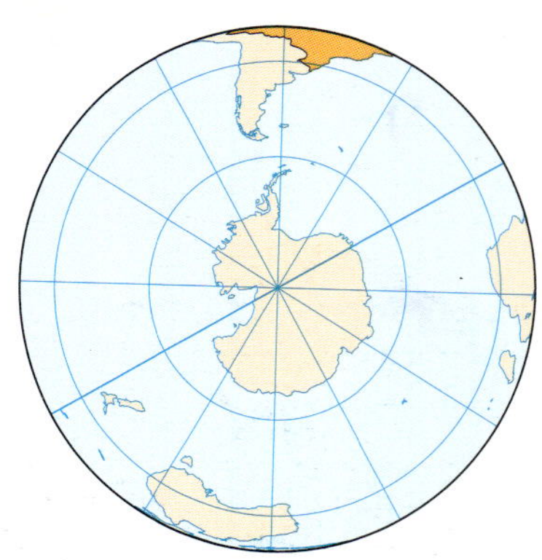

Plano tangente ao polo

Os paralelos são círculos concêntricos e os meridianos irradiam-se do polo.

Exemplo: página 63.

PLANISFÉRIO FUSOS HORÁRIOS

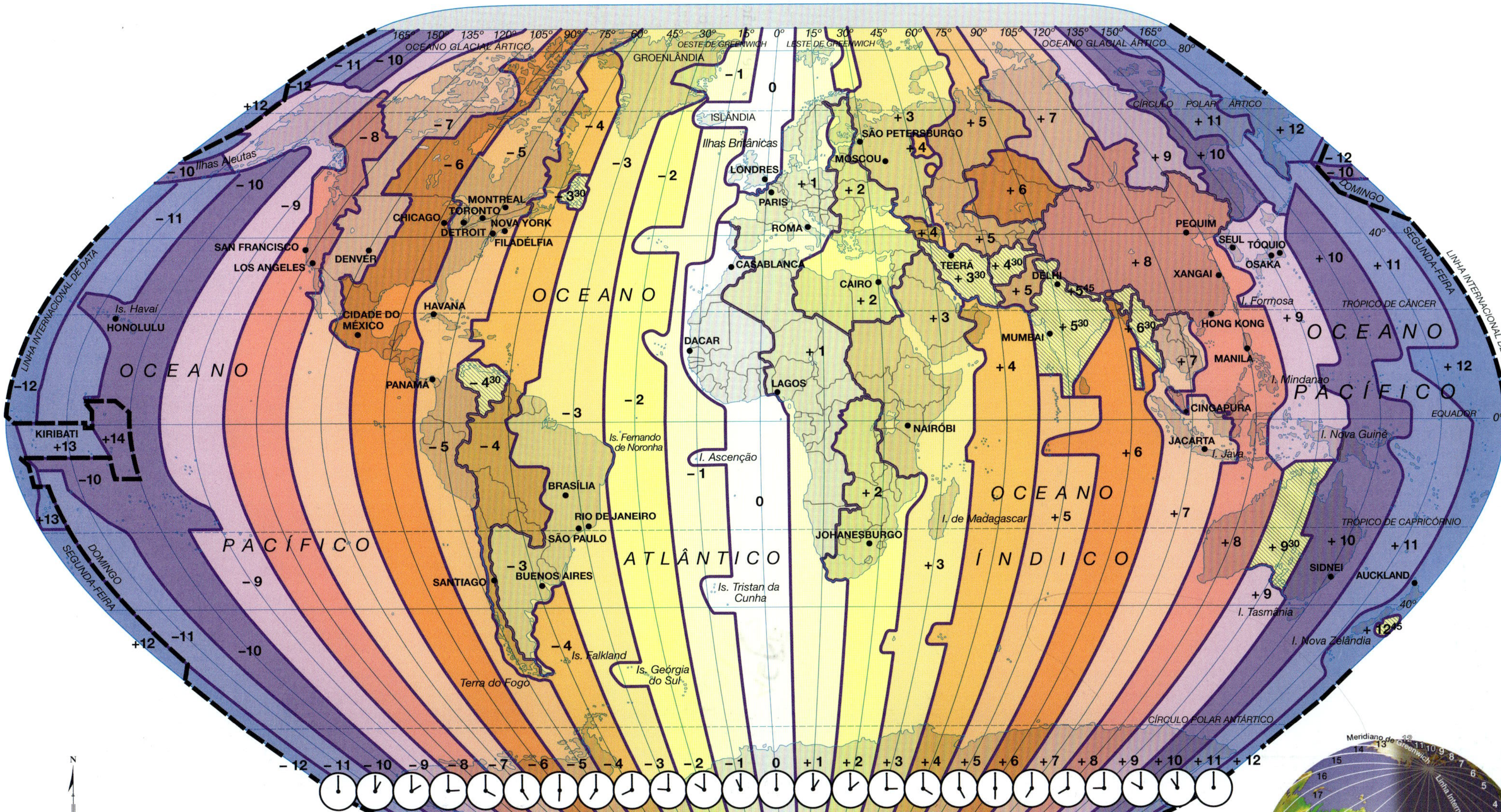

Países com hora oficial fracionada

Fontes: DE AGOSTINI, 2010; NATIONAL GEOGRAPHIC, 2010.

ESCALA 1 : 149.000.000

0 1.490 2.980 QUILÔMETROS

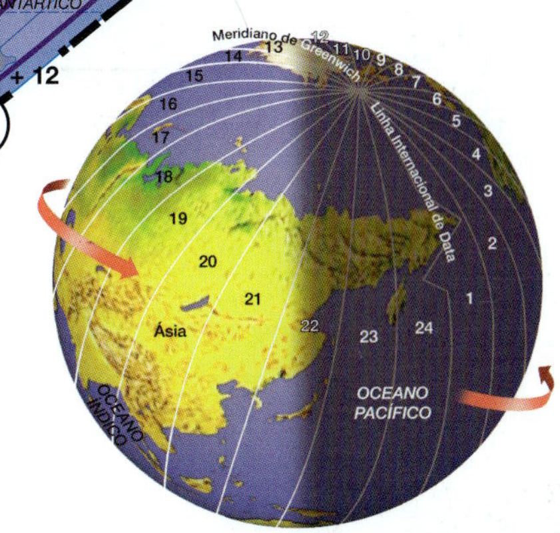

BRASIL FÍSICO

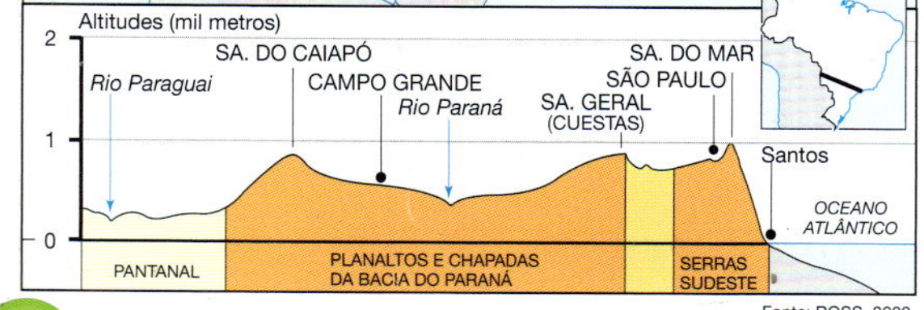

Fonte: ROSS, 2009.

RELEVO

ESCALA 1 : 24.000.000

0 240 480

QUILÔMETROS

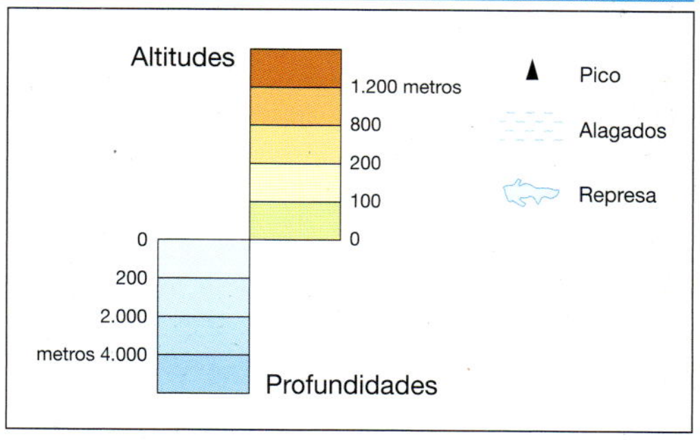

BRASIL POLÍTICO

ESCALA 1 : 24.000.000

0 240 480

QUILÔMETROS

N

◉ Capital

◦ Cidade principal

FUSOS HORÁRIOS

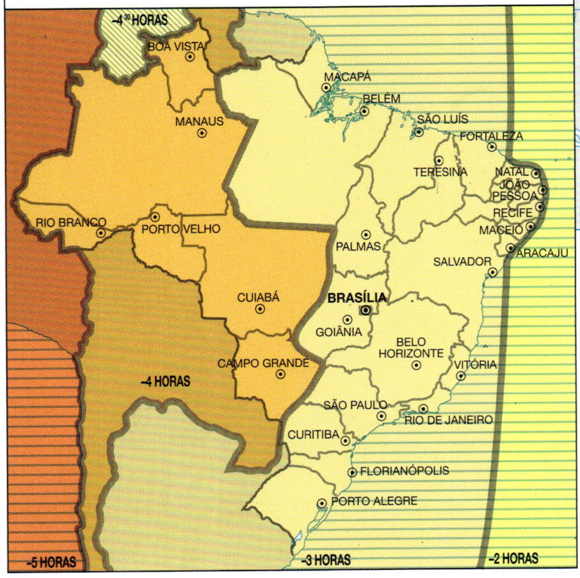

DIVISÃO REGIONAL

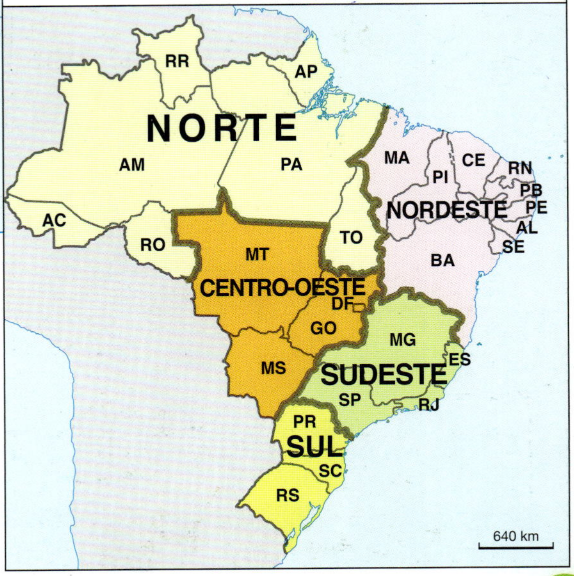

BRASIL CLIMA

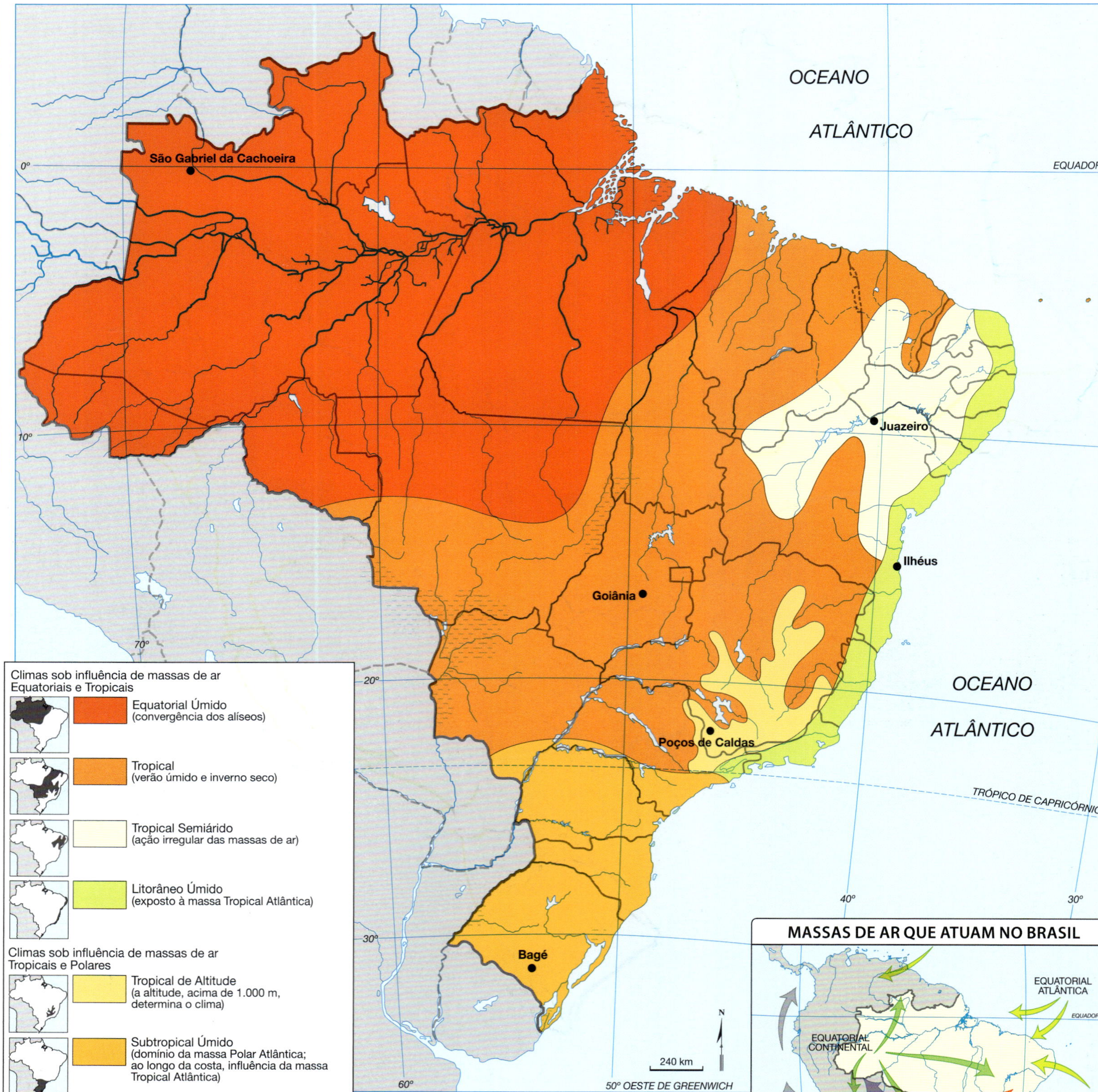

Fontes: CONTI; FURLAN, 2009; IBGE, 2010.

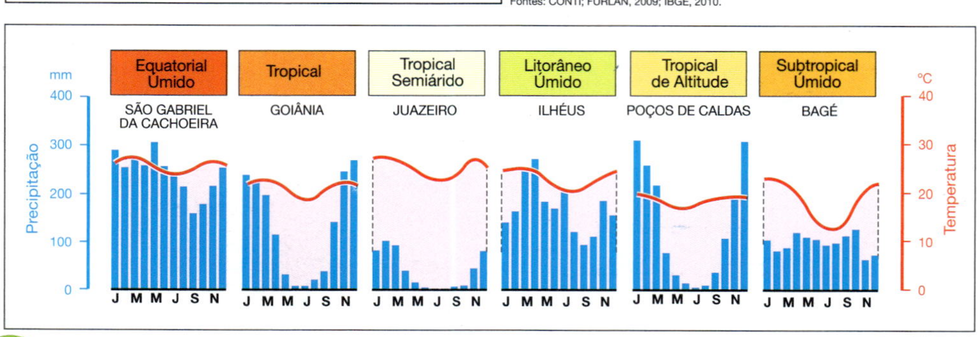

Fonte: INMET, 2010.

MASSAS DE AR QUE ATUAM NO BRASIL

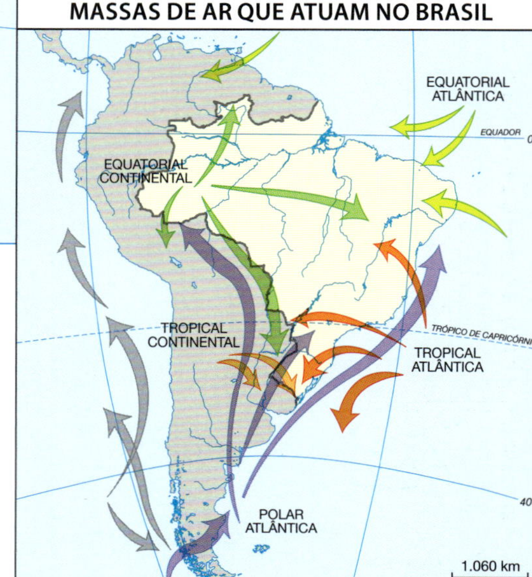

Fonte: MONTEIRO, 1968.

BRASIL REGIÕES HIDROGRÁFICAS

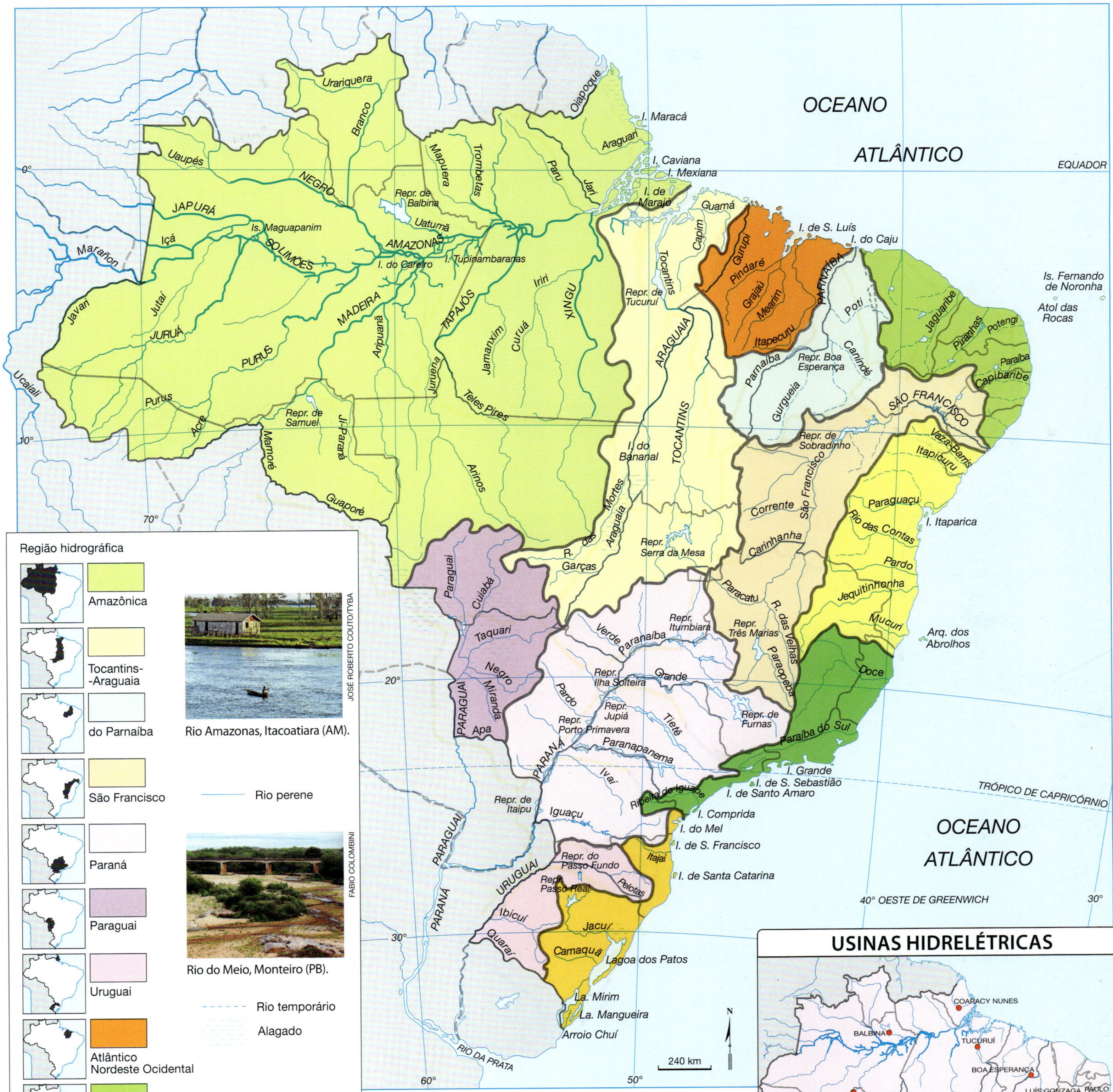

Fonte: IBGE, 2010.

Região hidrográfica

- Amazônica
- Tocantins-Araguaia
- do Parnaíba
- São Francisco
- Paraná
- Paraguai
- Uruguai
- Atlântico Nordeste Ocidental
- Atlântico Nordeste Oriental
- Atlântico Leste
- Atlântico Sudeste
- Atlântico Sul

JOSÉ ROBERTO COUTO/TYBA

Rio Amazonas, Itacoatiara (AM).

Rio perene

FABIO COLOMBINI

Rio do Meio, Monteiro (PB).

Rio temporário

Alagado

POTENCIAL HIDRELÉTRICO DAS REGIÕES

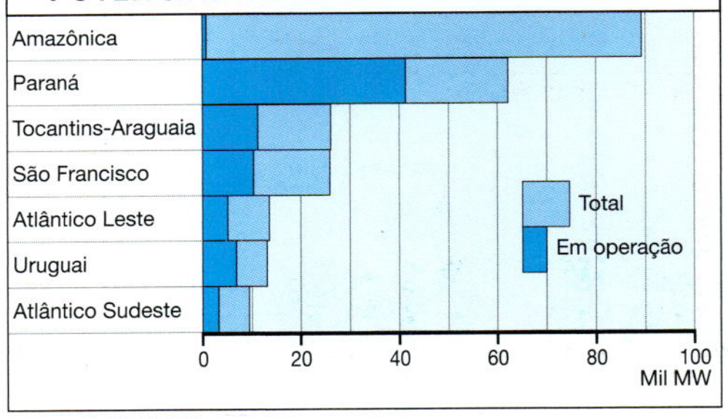

Fonte: ELETROBRAS, 2010.

USINAS HIDRELÉTRICAS

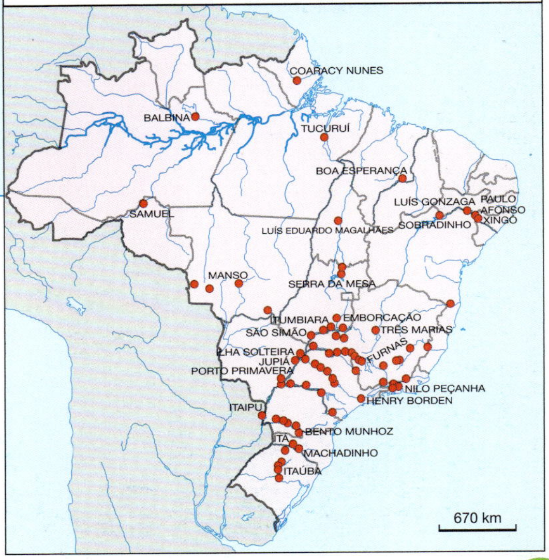

Fonte: ANEEL, 2008.

VEGETAÇÃO

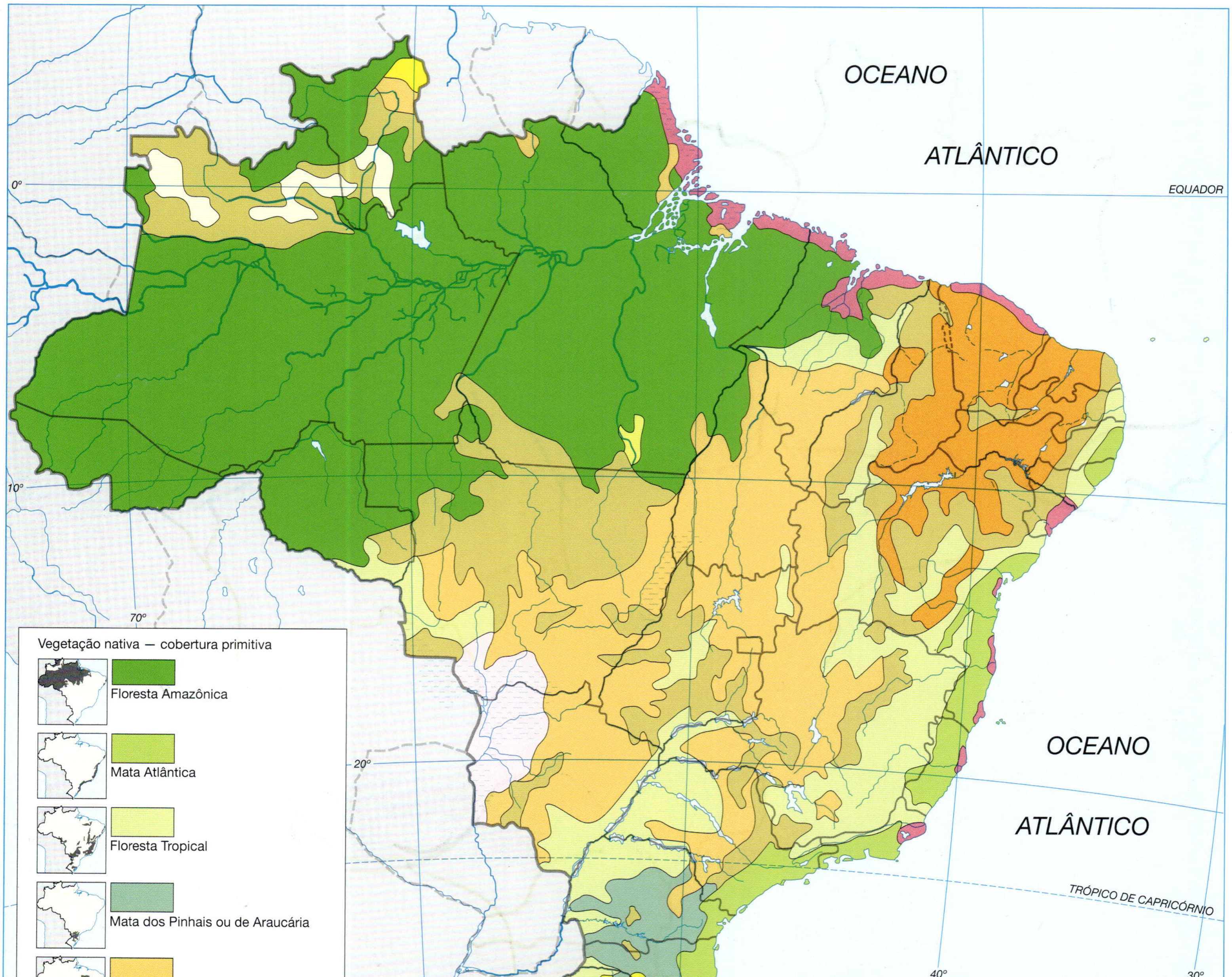

Fontes: CONTI; FURLAN, 2009; IBGE, 2010.

ESCALA 1 : 24.000.000

0 240 480

QUILÔMETROS

VEGETAÇÃO NATIVA – COBERTURA ATUAL

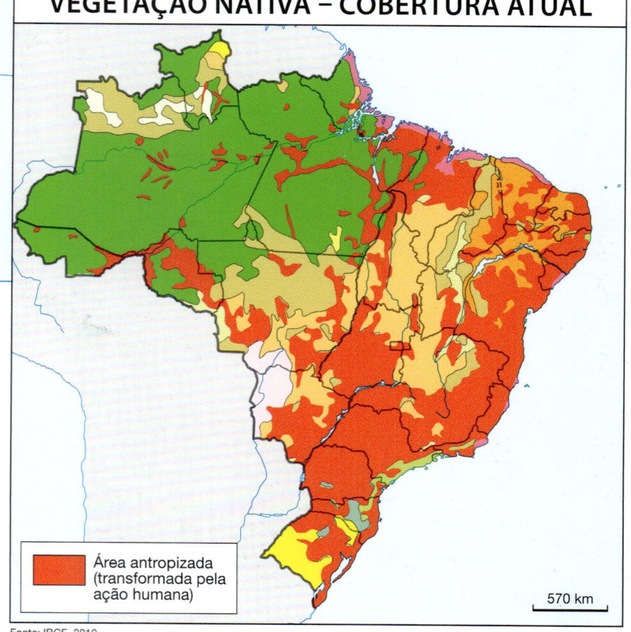

Fonte: IBGE, 2010.

Floresta Amazônica, em Japurá (AM).

ERNESTO REGHRAN/PULSAR IMAGENS

Mata Atlântica, no Parque Nacional do Itatiaia (RJ).

FABIO COLOMBINI

Araucárias, no Parque Nacional de Aparados da Serra (RS).

THAIS FALCÃO/OLHAR IMAGEM

Cerrado, no Parque Estadual do Jalapão (TO).

ADRIANO GAMBARINI/OLHAR IMAGEM

Caatinga, em Poço Redondo (SE).

RUBENS CHAVES/PULSAR IMAGENS

Campos, na Campanha Gaúcha, Dom Pedrito (RS).

FABIO COLOMBINI

Vegetação do Pantanal, em Miranda (MS).

HAROLDO PALO JR/KINO

Mangue, no Rio Preguiças, Barreirinhas (MA).

GENTIL BARREIRA/IMAGEM BRASIL

BRASIL ÁREAS ESPECIAIS

POPULAÇÃO INDÍGENA

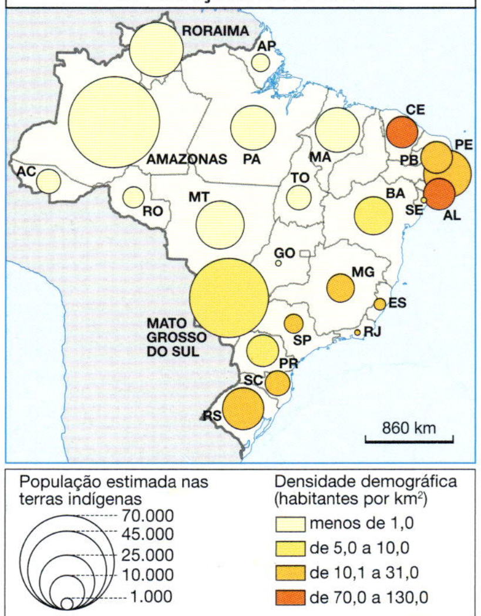

Fonte: INSTITUTO SOCIOAMBIENTAL, 2008.

RENATO SOARES/ PULSAR IMAGENS

Parque Indígena do Xingu (MT).

LUIZ CLÁUDIO MARIGO/OPÇÃO BRASIL IMAGENS

Parque Nacional da Tijuca (RJ).

TERRAS INDÍGENAS

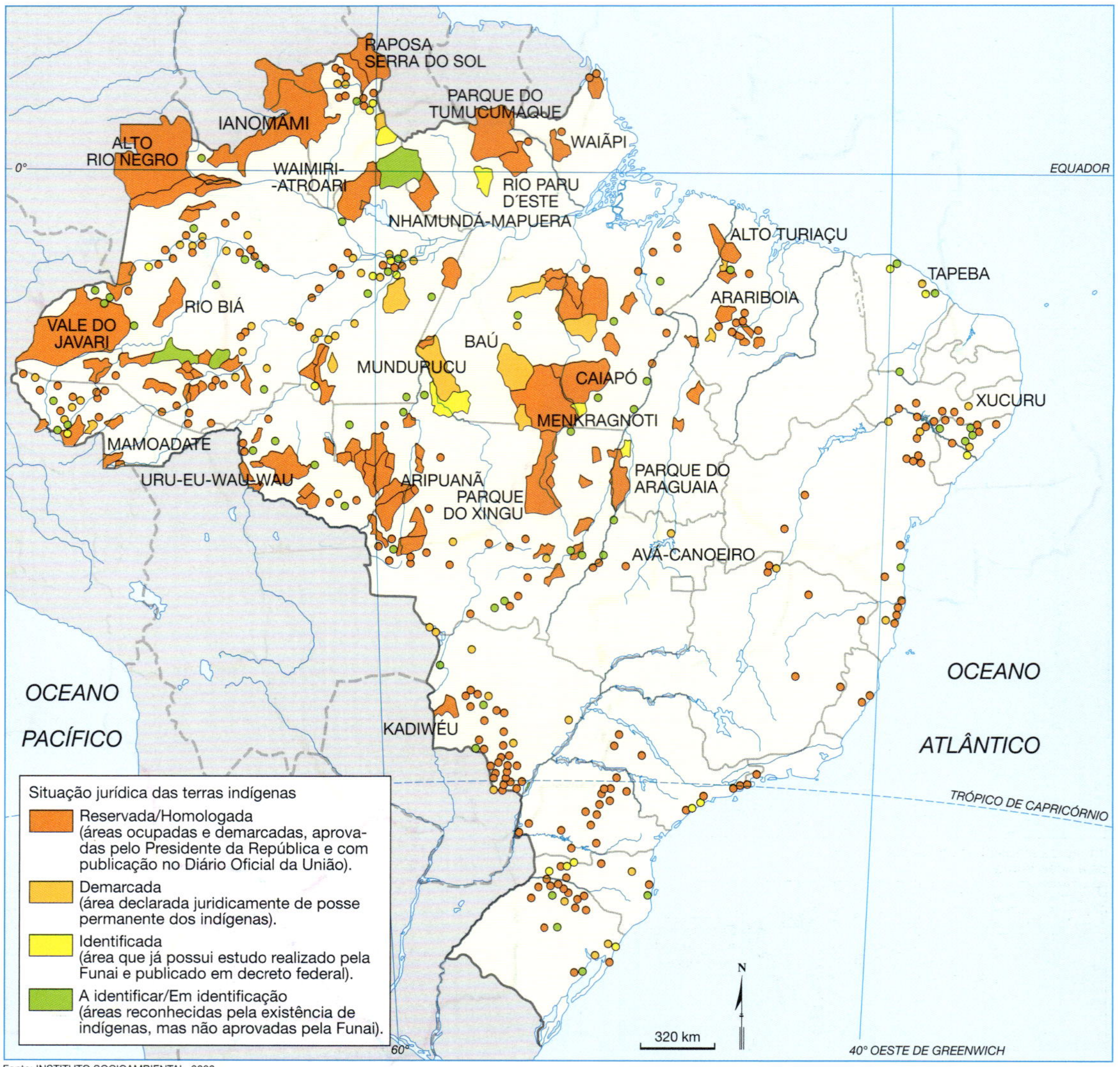

Fonte: INSTITUTO SOCIOAMBIENTAL, 2000.

UNIDADES DE CONSERVAÇÃO

PARQUES NACIONAIS

Parque Nacional. Tem como objetivo a preservação de ecossistemas naturais de grande relevância ecológica e beleza cênica; permite a realização de pesquisas científicas e atividades de educação ambiental, recreação e ecoturismo.

RESERVAS NACIONAIS

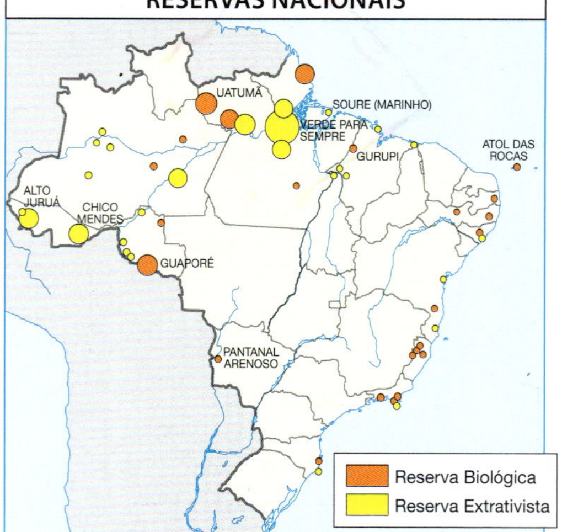

Reserva Biológica. Tem como objetivo preservar integralmente a biota e os demais atributos naturais existentes em seus limites.

Reserva Extrativista. Áreas destinadas à exploração sustentável e à conservação de recursos naturais renováveis por uma população com tradição extrativista.

FLORESTAS NACIONAIS

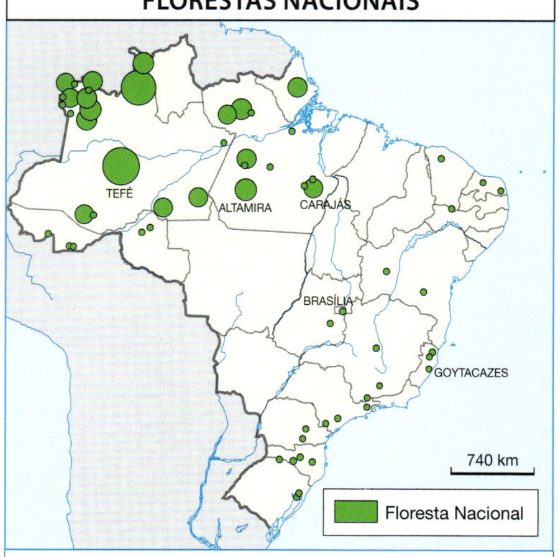

Floresta Nacional. Área com cobertura vegetal de espécies predominantemente nativas onde são permitidos o uso múltiplo sustentável dos recursos florestais e a pesquisa científica. Admite a permanência da população tradicional existente quando de sua criação.

Fonte: IBAMA, 2009.

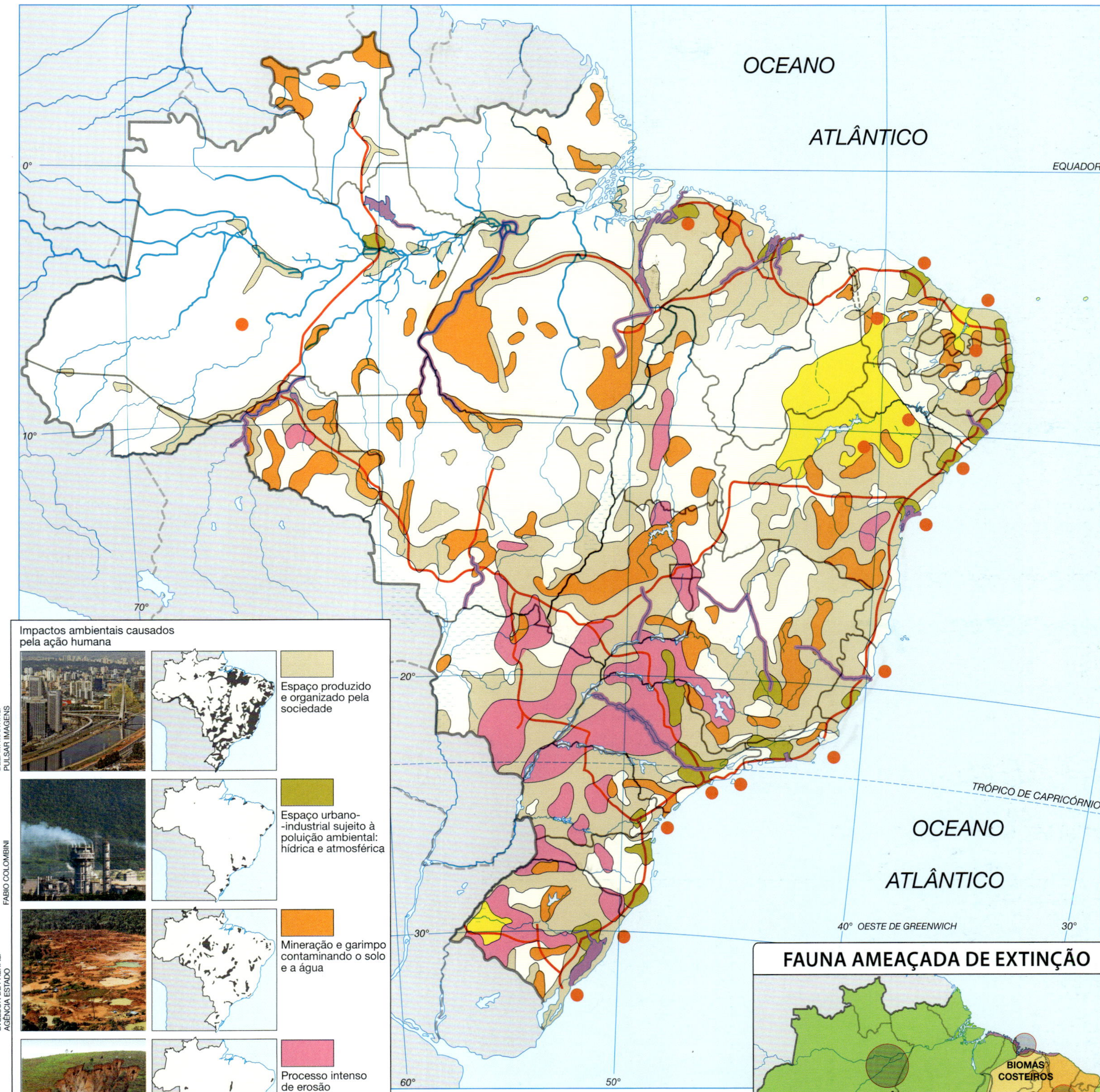

Fotos: Marginal Pinheiros, em São Paulo (SP); Cubatão (SP); garimpo de diamantes, em Vilhena (RO); voçoroca, em Vassouras (RJ); arenização, em Manoel Viana (RS).

FAUNA AMEAÇADA DE EXTINÇÃO

Fonte: IBGE, 2010.

POPULAÇÃO

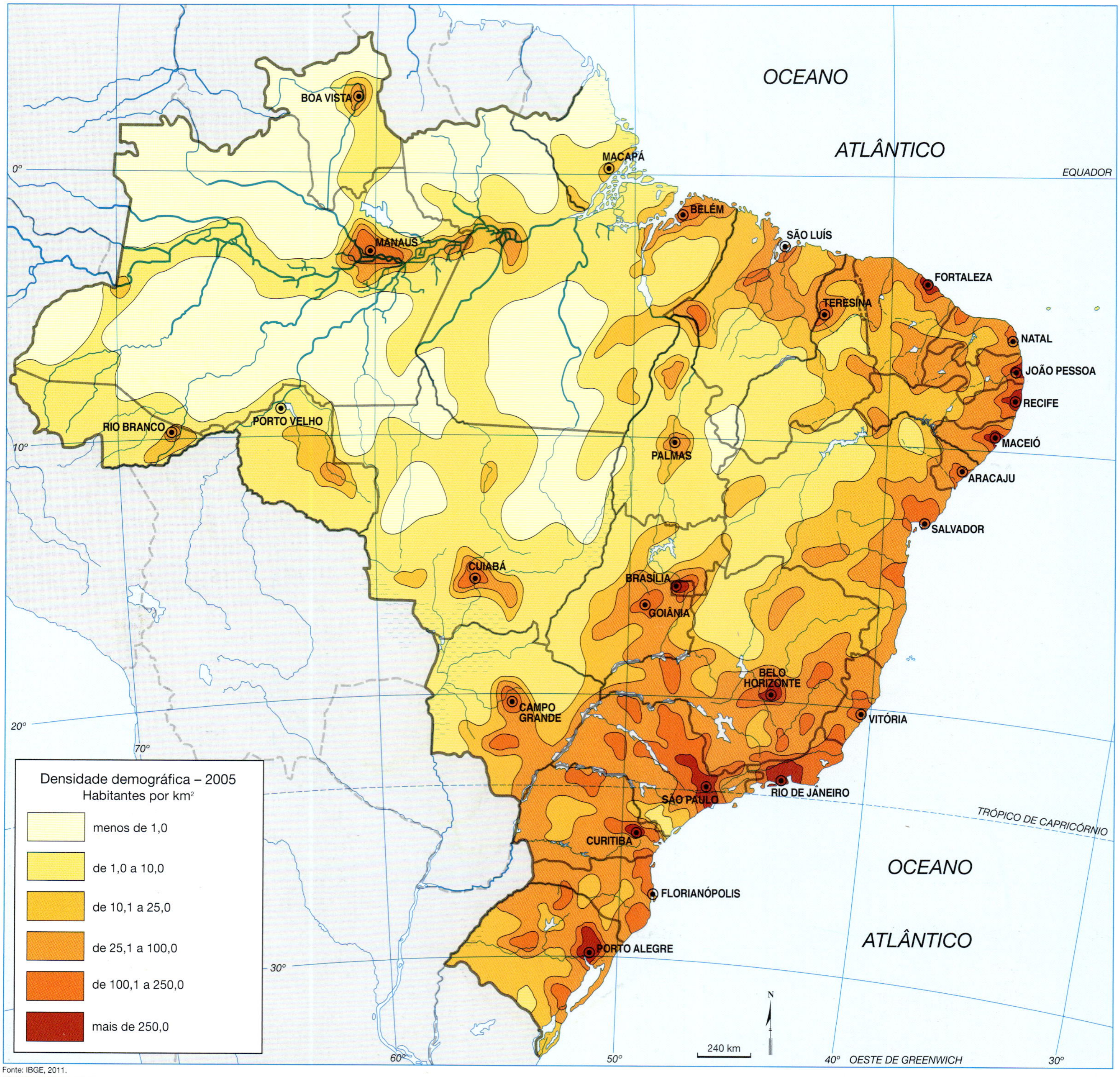

Fonte: IBGE, 2011.

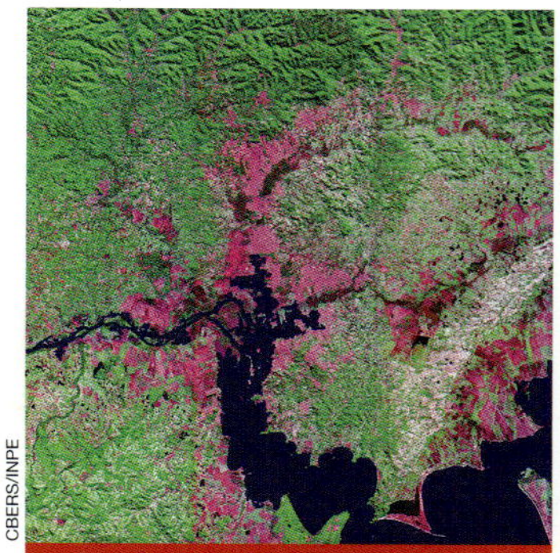

Porto Alegre (RS).

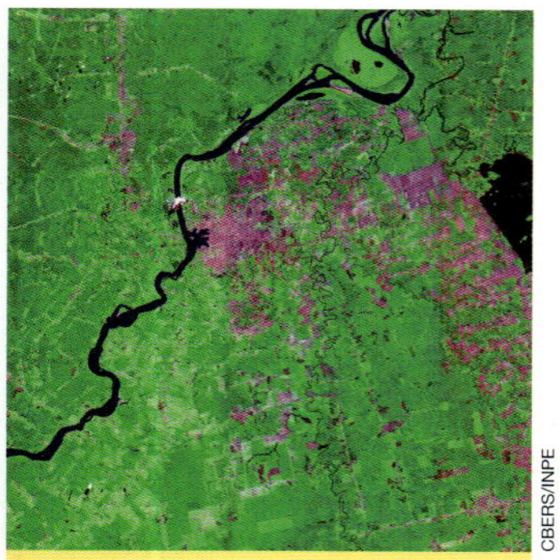

Porto Velho (RO).

EIXO SÃO PAULO-RIO DE JANEIRO

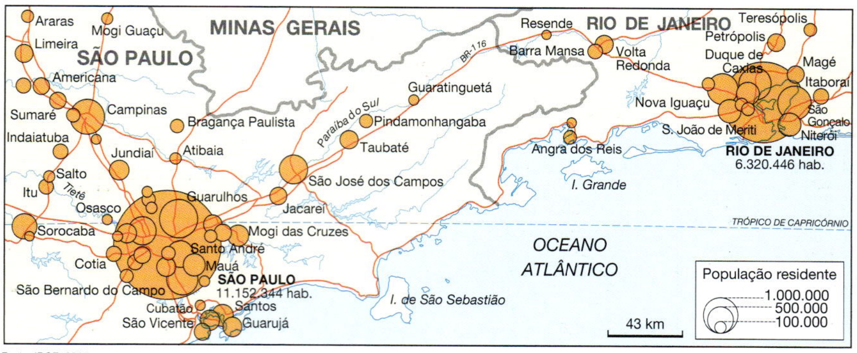

Fonte: IBGE, 2011.

FLUXO MIGRATÓRIO

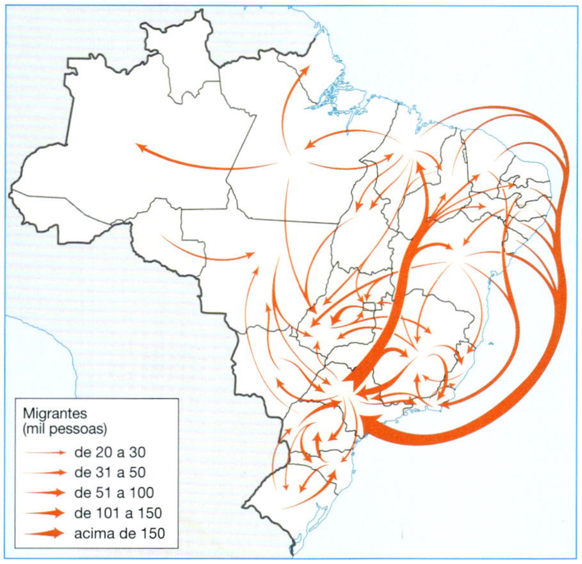

Fonte: IBGE, 2010.

ESPERANÇA DE VIDA AO NASCER

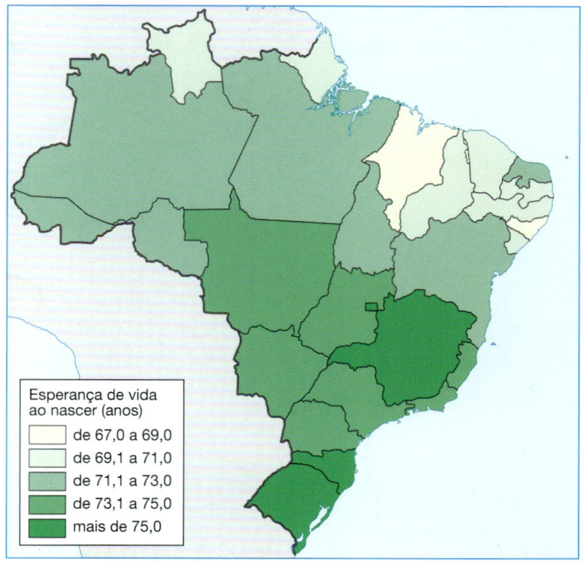

Fonte: IBGE, 2010.

PIRÂMIDES ETÁRIAS

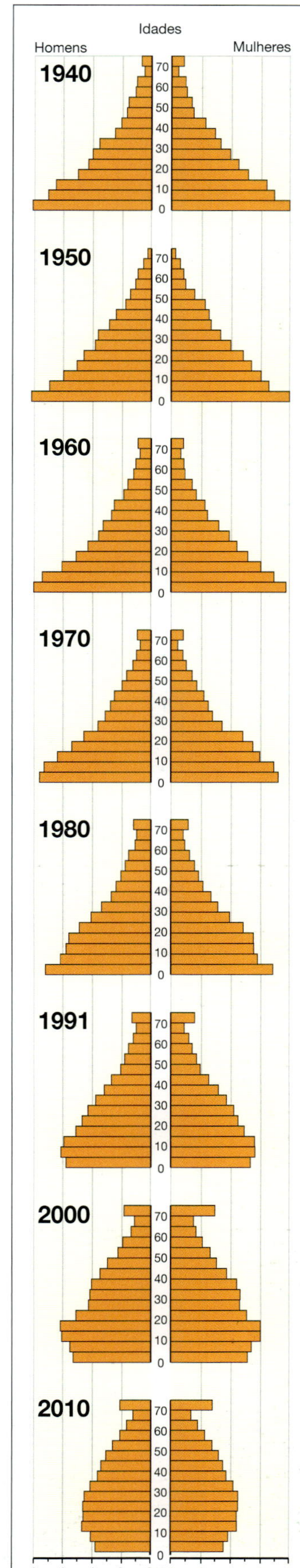

Fonte: IBGE, 2011.

ALFABETIZAÇÃO

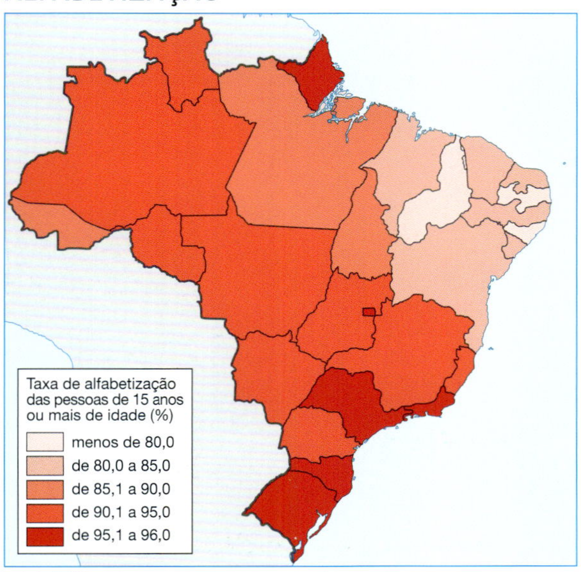

Fonte: IBGE, 2010.

ESCOLARIDADE

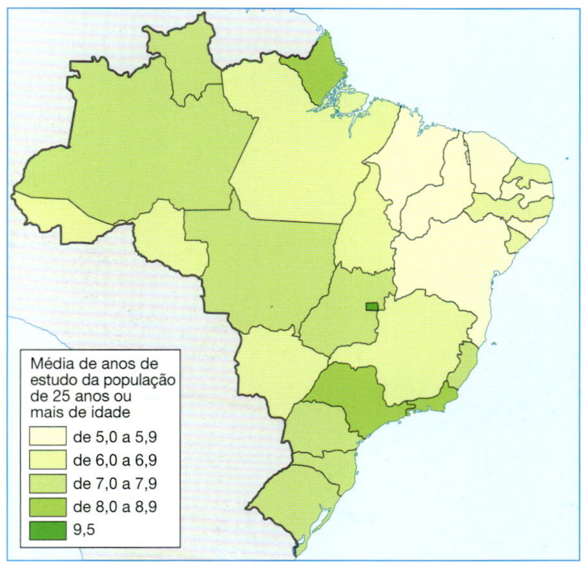

Fonte: IBGE, 2010.

MORTALIDADE INFANTIL

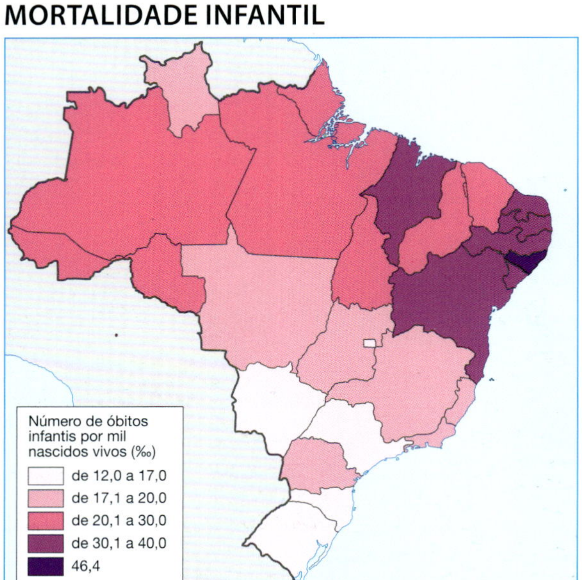

Fonte: IBGE, 2010.

TRABALHO INFANTIL

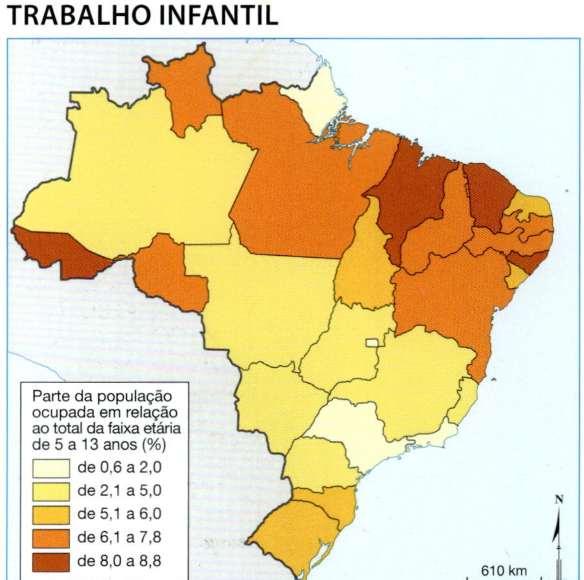

Fonte: IBGE, 2008.

A legislação brasileira proíbe o trabalho infantil sob qualquer forma para crianças e adolescentes com menos de 14 anos de idade.

BRASIL INDICADORES SOCIOECONÔMICOS

DESENVOLVIMENTO HUMANO

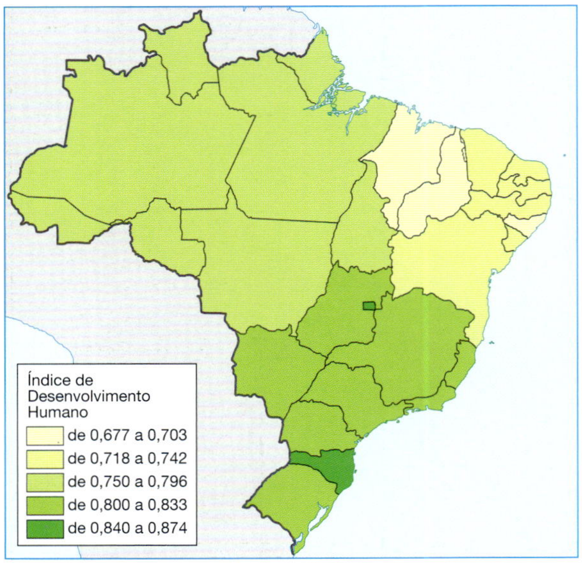

Fonte: CEPAL/PNUD/OIT, 2008.

DISTRIBUIÇÃO DE RENDA

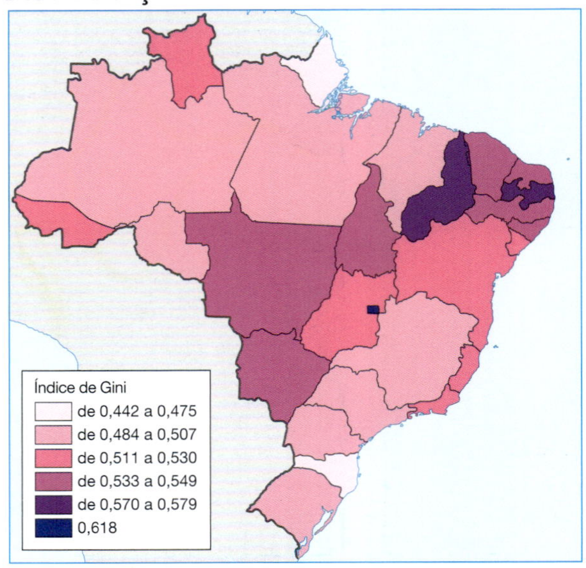

Fonte: IBGE, 2010. O Índice de Gini mede o grau de desigualdade na distribuição dos rendimentos da população. Varia de 0 a 1. Quanto mais próximo de 1, maior a desigualdade.

RENDIMENTO FAMILIAR

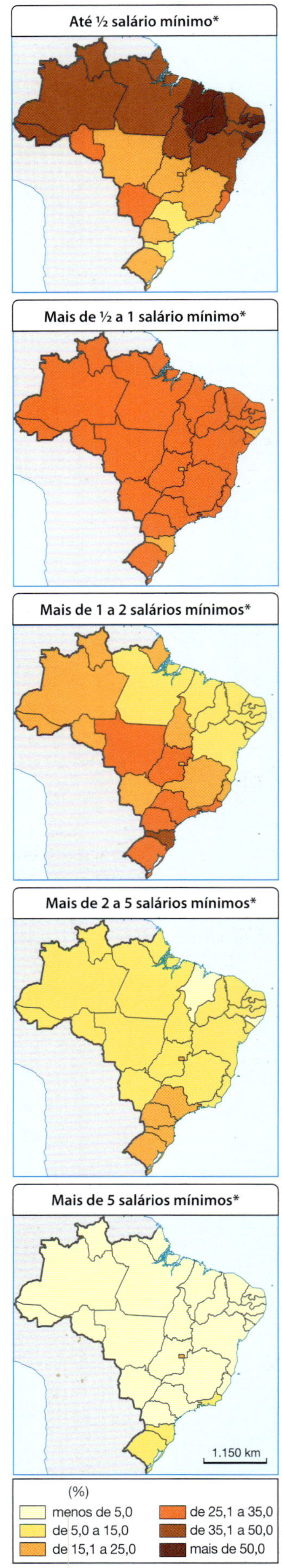

Fonte: IBGE, 2010.

* *per capita*

PRODUTO INTERNO BRUTO

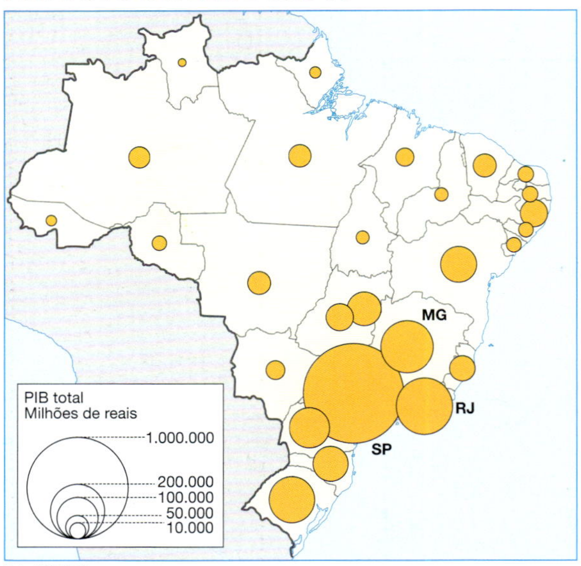

Fonte: IBGE, 2008.

INTERNET

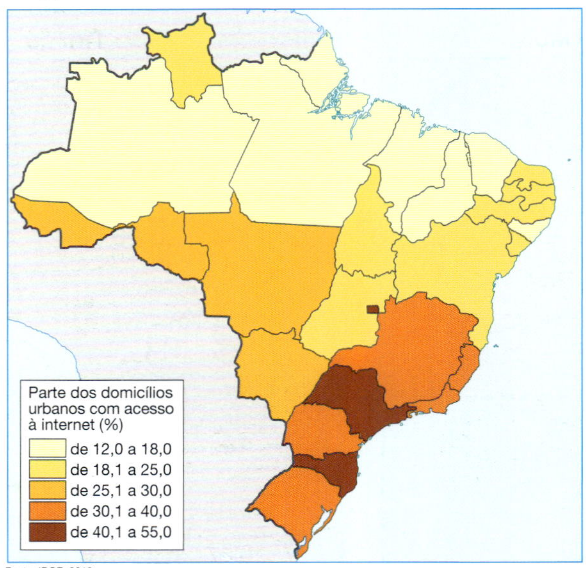

Fonte: IBGE, 2010.

ABASTECIMENTO DE ÁGUA

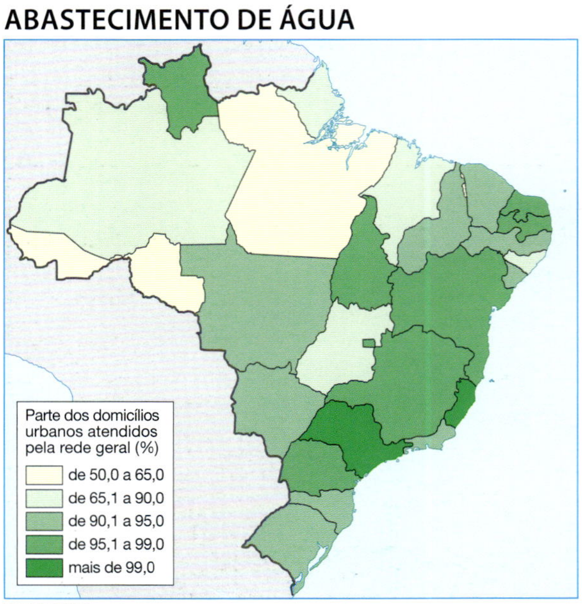

Fonte: IBGE, 2010.

ESGOTAMENTO SANITÁRIO

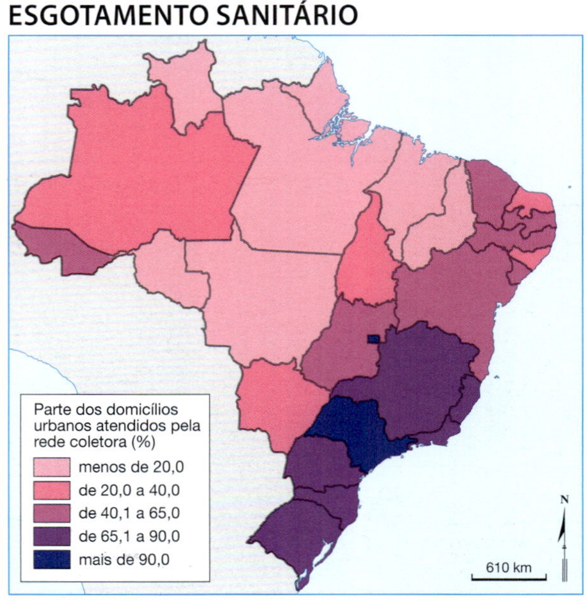

Fonte: IBGE, 2010.

PRODUÇÃO INDUSTRIAL POR ESTADO

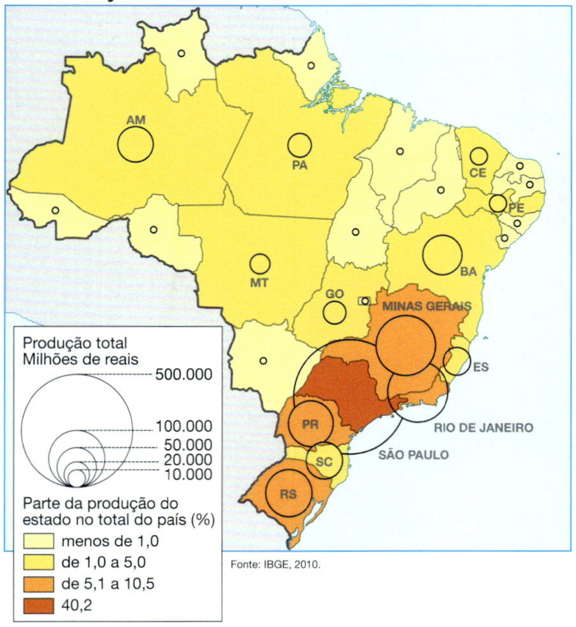

Fonte: IBGE, 2010.

REMUNERAÇÃO PAGA PELA INDÚSTRIA

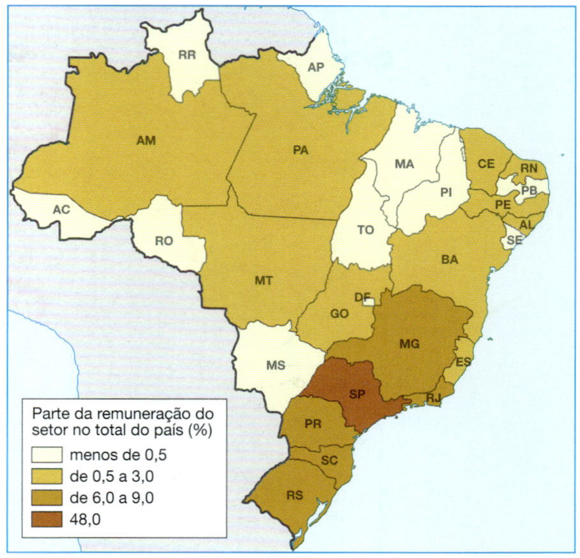

Fonte: IBGE, 2010.

PRODUÇÃO INDUSTRIAL

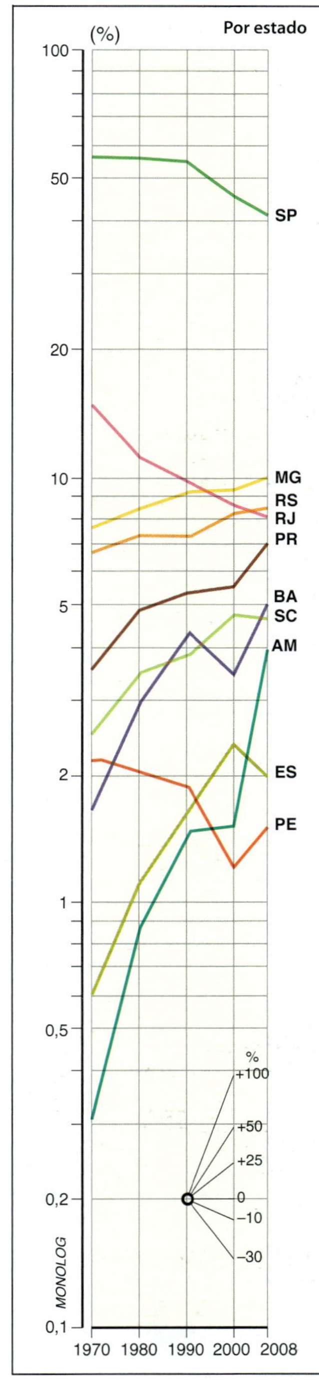

Fonte: IBGE, 2009.

PRODUÇÃO INDUSTRIAL POR MUNICÍPIO

Fonte: IBGE, 2009.

EMPRESAS INDUSTRIAIS

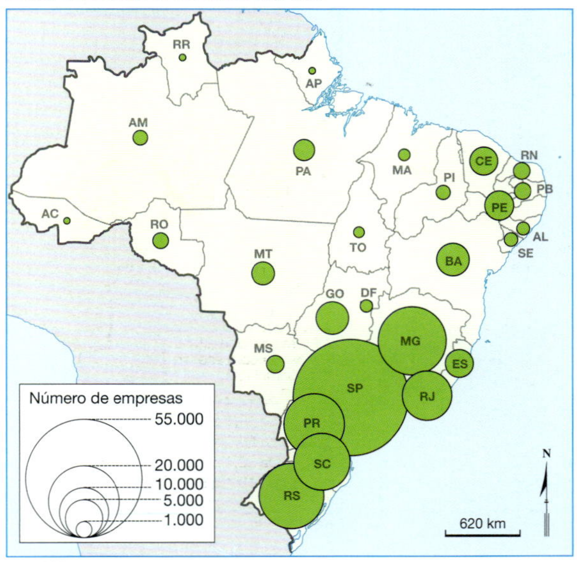

Fonte: IBGE, 2009.

MUNICÍPIOS COM INDÚSTRIA

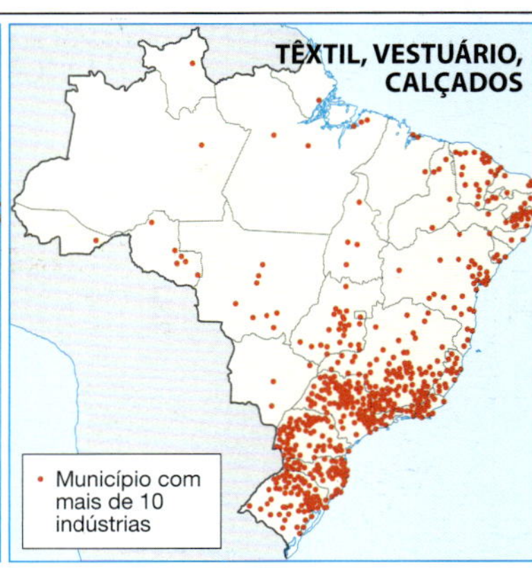

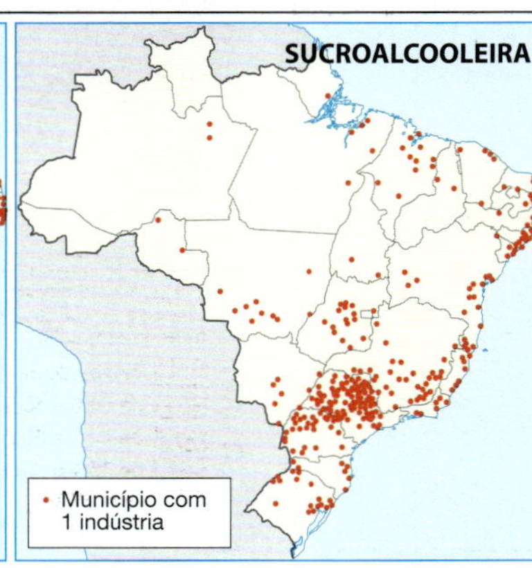

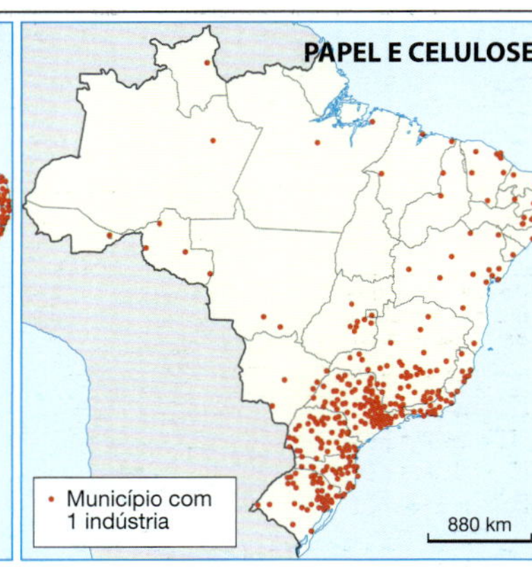

Fonte: IBGE, 2007.

USO DA TERRA

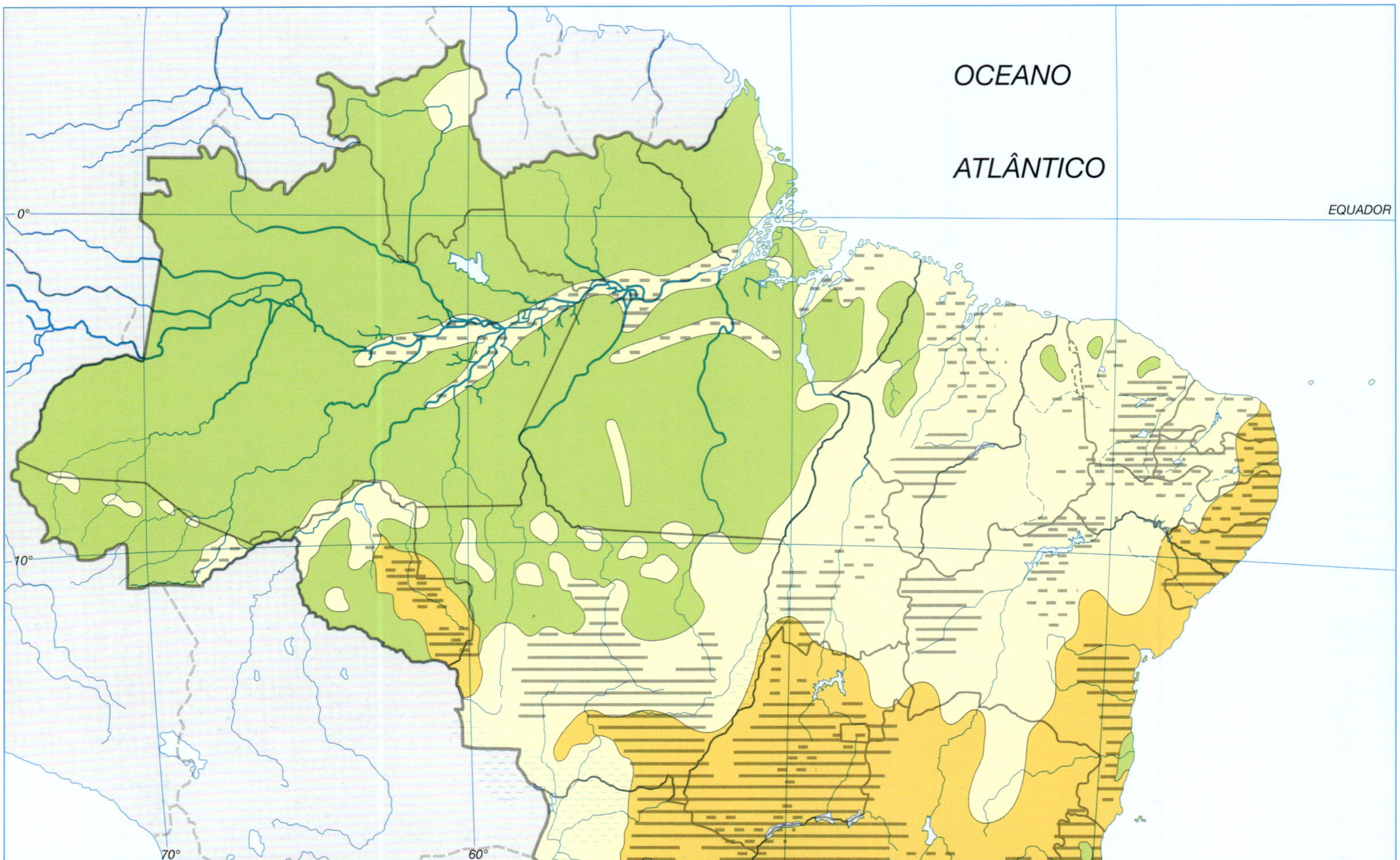

ERNESTO REGHRAN/PULSAR IMAGENS

Grande agricultura comercial

JOÃO PRUDENTE/PULSAR IMAGENS

Pequena agricultura comercial e de subsistência

ÉDSON MEIRELLES/TYBA

Pecuária semiextensiva

MAURICIO SIMONETTI/PULSAR IMAGENS

Pecuária primitiva (extensiva)

DELFIM MARTINS/PULSAR IMAGENS

Extrativismo vegetal

Fonte: IBGE, 2007.

Fotos: Plantações de milho e soja em Mauá da Serra (PR); cultivo de mandioca em Triunfo (PE); gado leiteiro em Petrópolis (RJ); pasto em São Gabriel (RS); extração de látex em Xapuri (AC).

ESCALA 1 : 24.000.000

0 240 480

QUILÔMETROS

PRODUÇÃO AGROPECUÁRIA

LARANJA

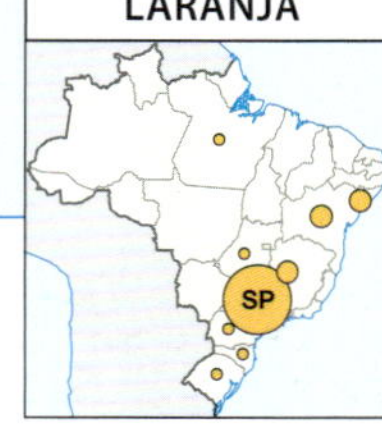

SOJA

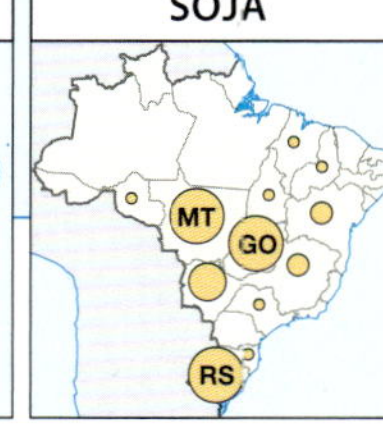

CANA-DE-AÇÚCAR

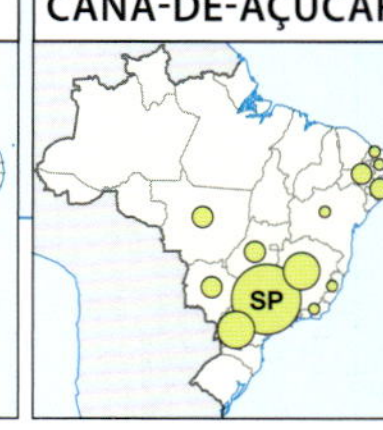

CAFÉ

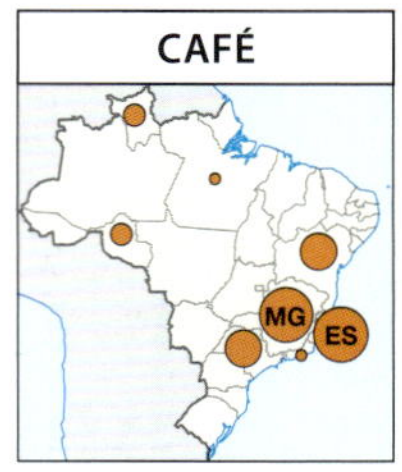

ARROZ

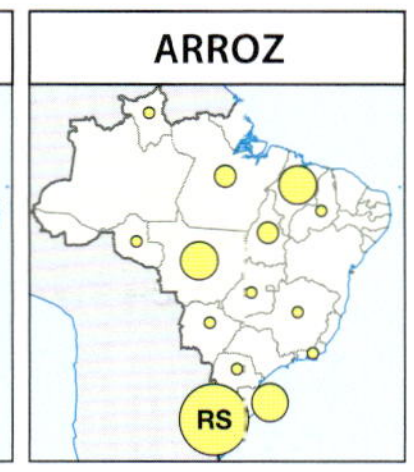

Valor da produção do estado como parte do total do país (%)

- de 0,5 a 3,0
- de 3,1 a 5,0
- de 5,1 a 10,0
- de 10,1 a 50,0
- de 50,1 a 80,0

Fonte: IBGE, 2010.

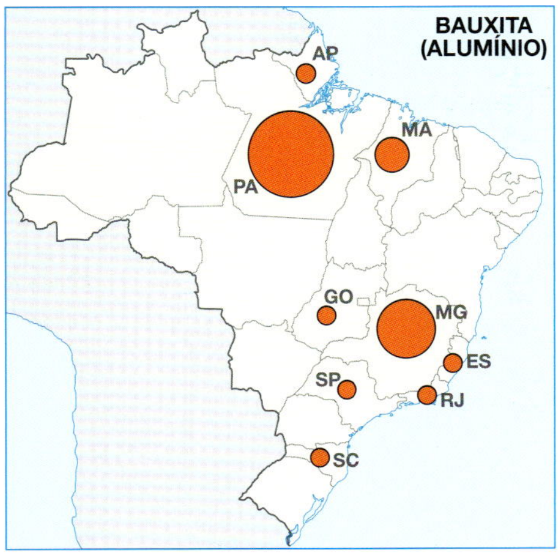

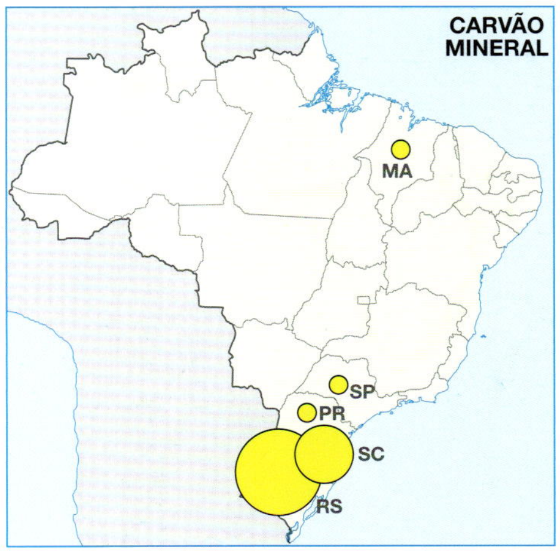

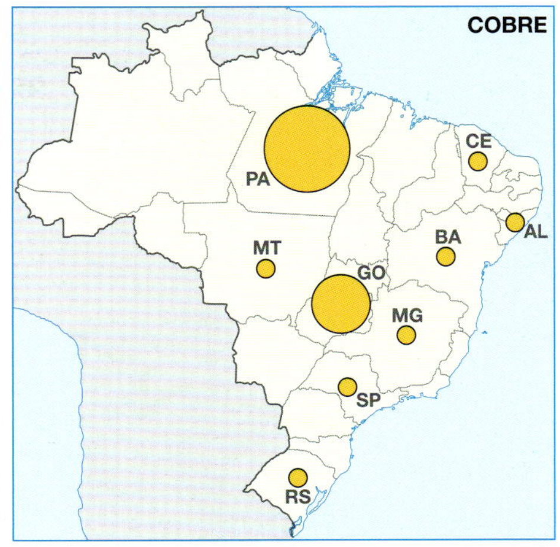

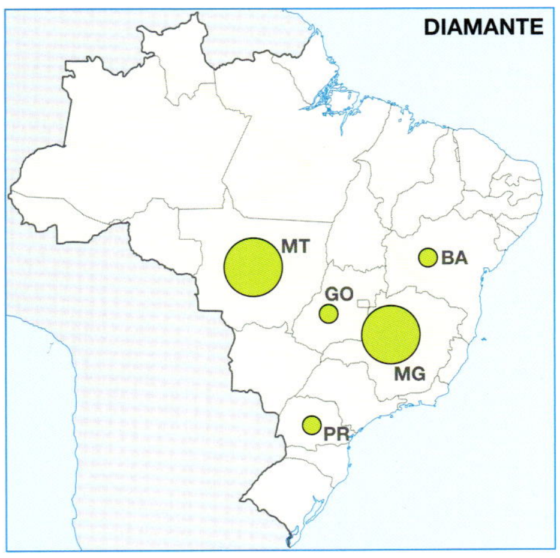

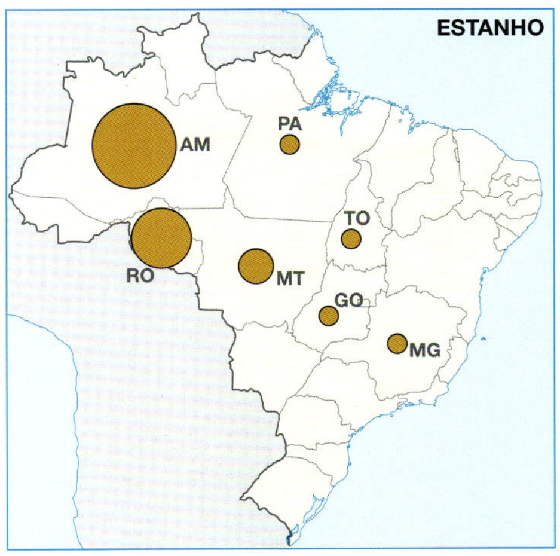

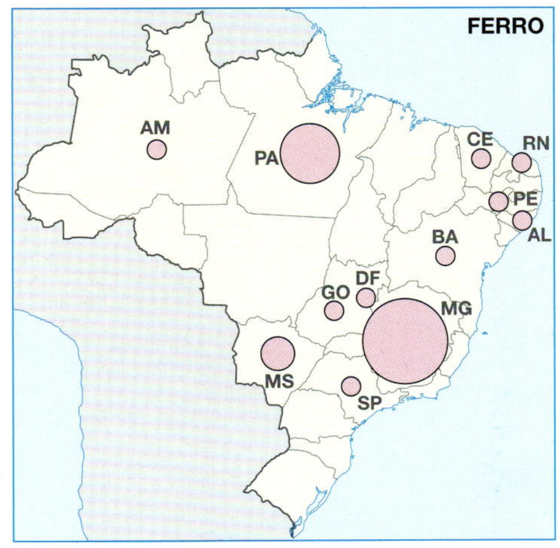

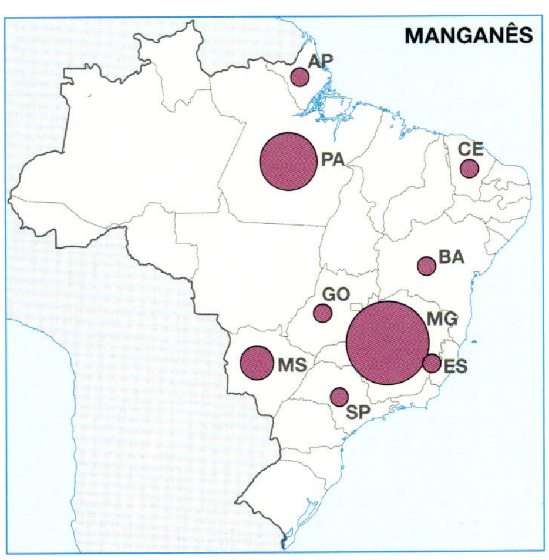

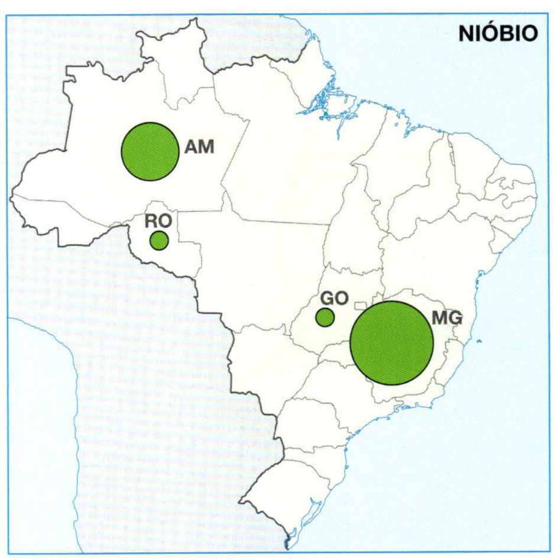

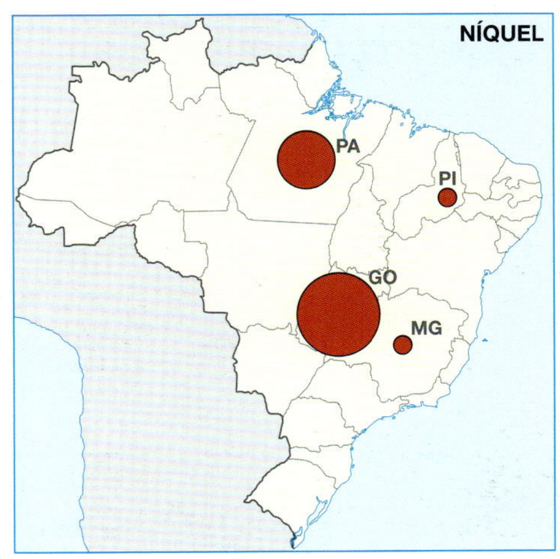

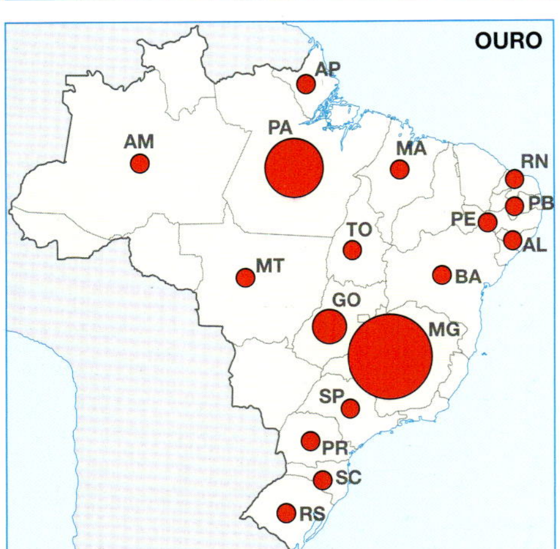

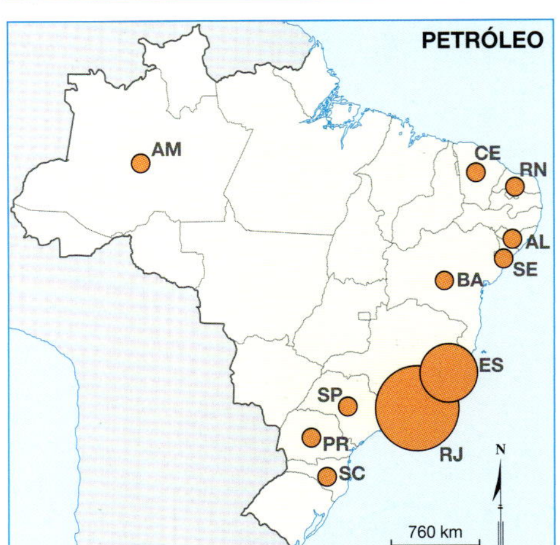

Parte da reserva mineral do estado no total do país (%)

- de 0,5 a 3,0
- de 3,1 a 10,0
- de 10,1 a 60,0
- de 60,1 a 90,0

Fonte: DNPM, 2009.

TRANSPORTES

Cidade principal

Porto de carga geral

Porto especializado

Rodovia pavimentada

Rodovia sem pavimentação

BR-116 Código federal de rodovia

Ferrovia

Hidrovia

Fontes: IBGE, 2010; ABRIL, 2010.

AEROPORTOS PRINCIPAIS

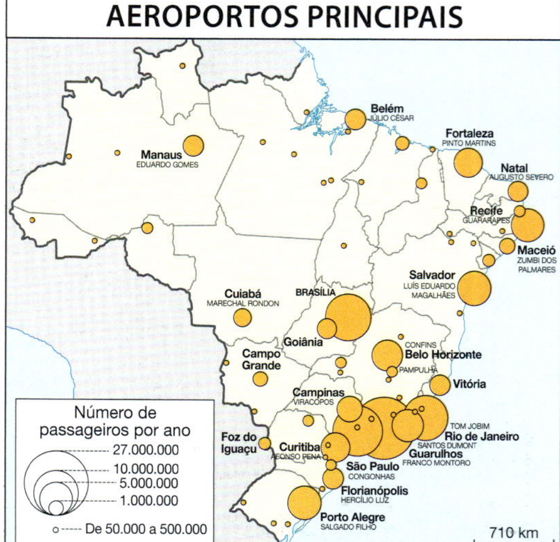

Fonte: INFRAERO, 2010.

PORTOS MOVIMENTO DE CARGAS

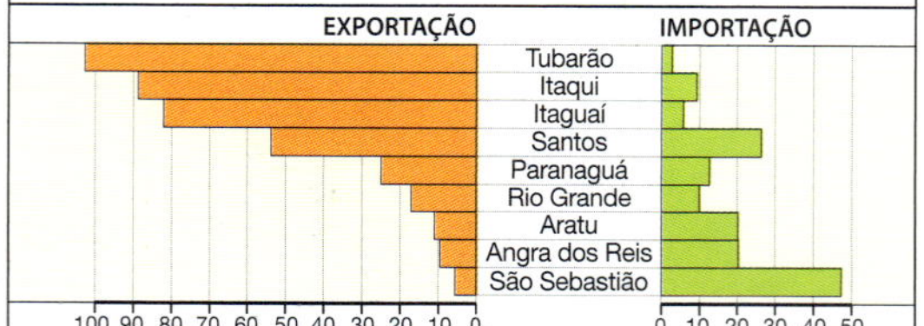

Fonte: ANTAQ, 2009.

Organização do espaço

Espaço de economia muito dinâmica: Centro-Sul

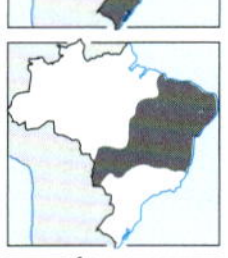

Espaço menos dinâmico com manchas de modernidade e expansão da agropecuária moderna

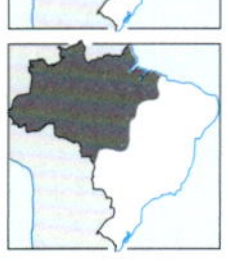

Novos espaços que se incorporam ao processo produtivo

Fontes: IBGE, 2002; 2007.

REGIÕES GEOECONÔMICAS

Fonte: IBGE, 2009.

CIDADES MAIS POPULOSAS – 2010

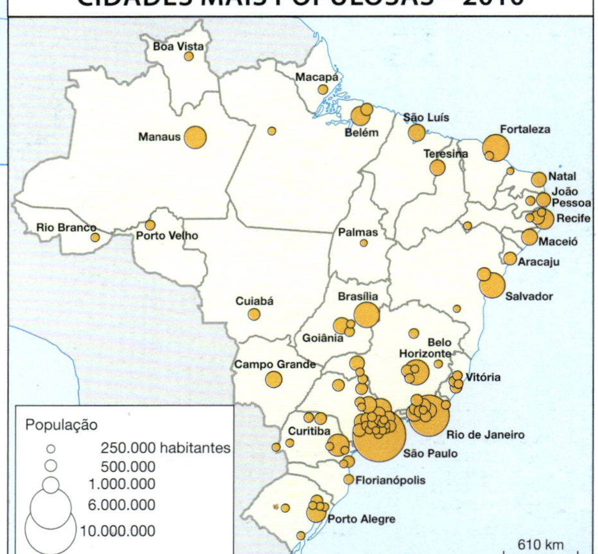

Fonte: IBGE, 2011.

BRASIL REGIÃO NORTE FÍSICO

LUIZ CLÁUDIO MARIGO/TYBA

Encontro dos rios Negro e Solimões (AM).

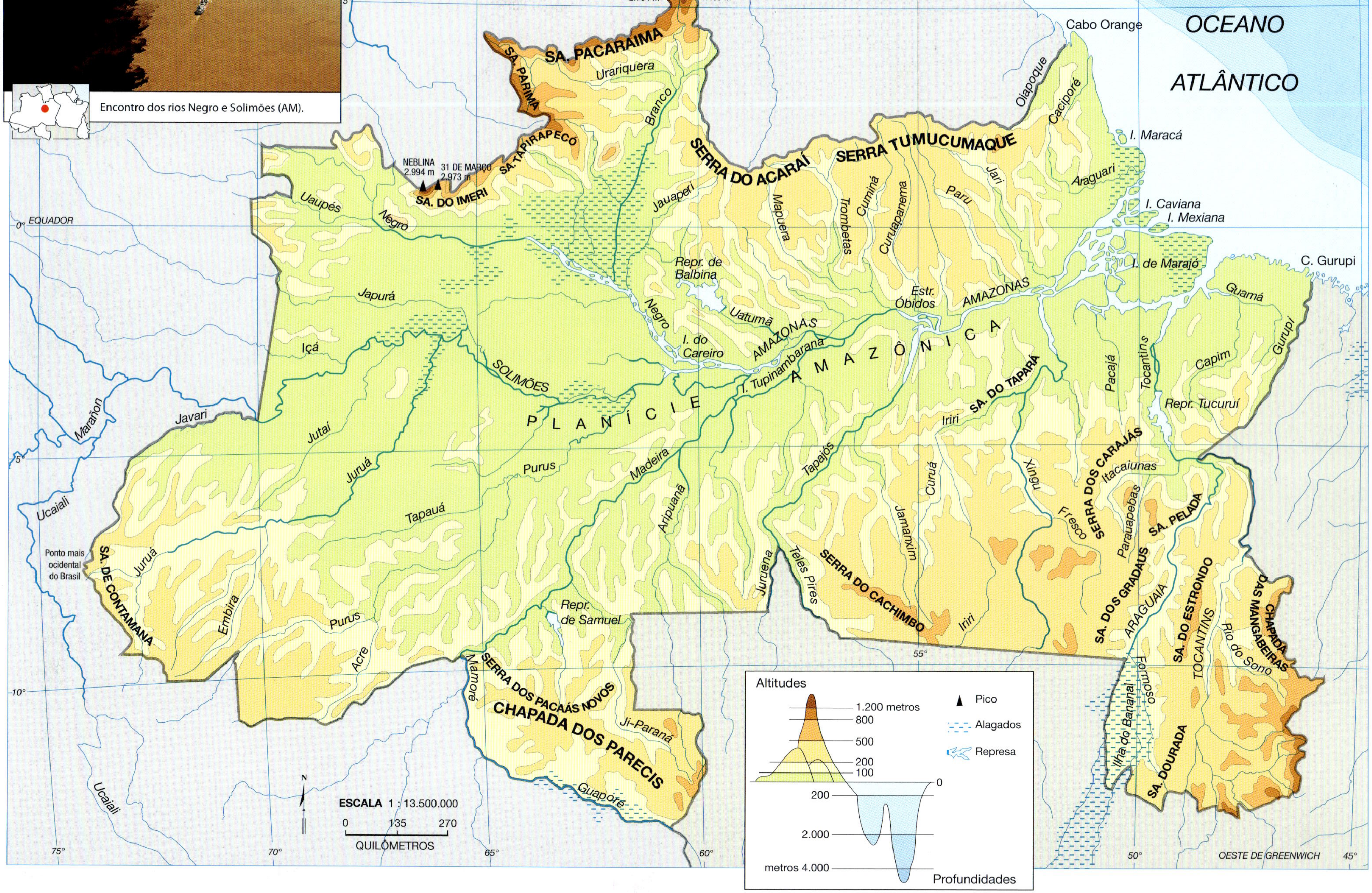

REGIÃO NORTE POLÍTICO

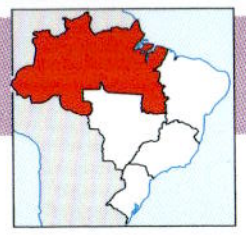

NILO LIMA/OPÇÃO BRASIL IMAGENS

Manaus, porto flutuante do Rio Negro (AM).

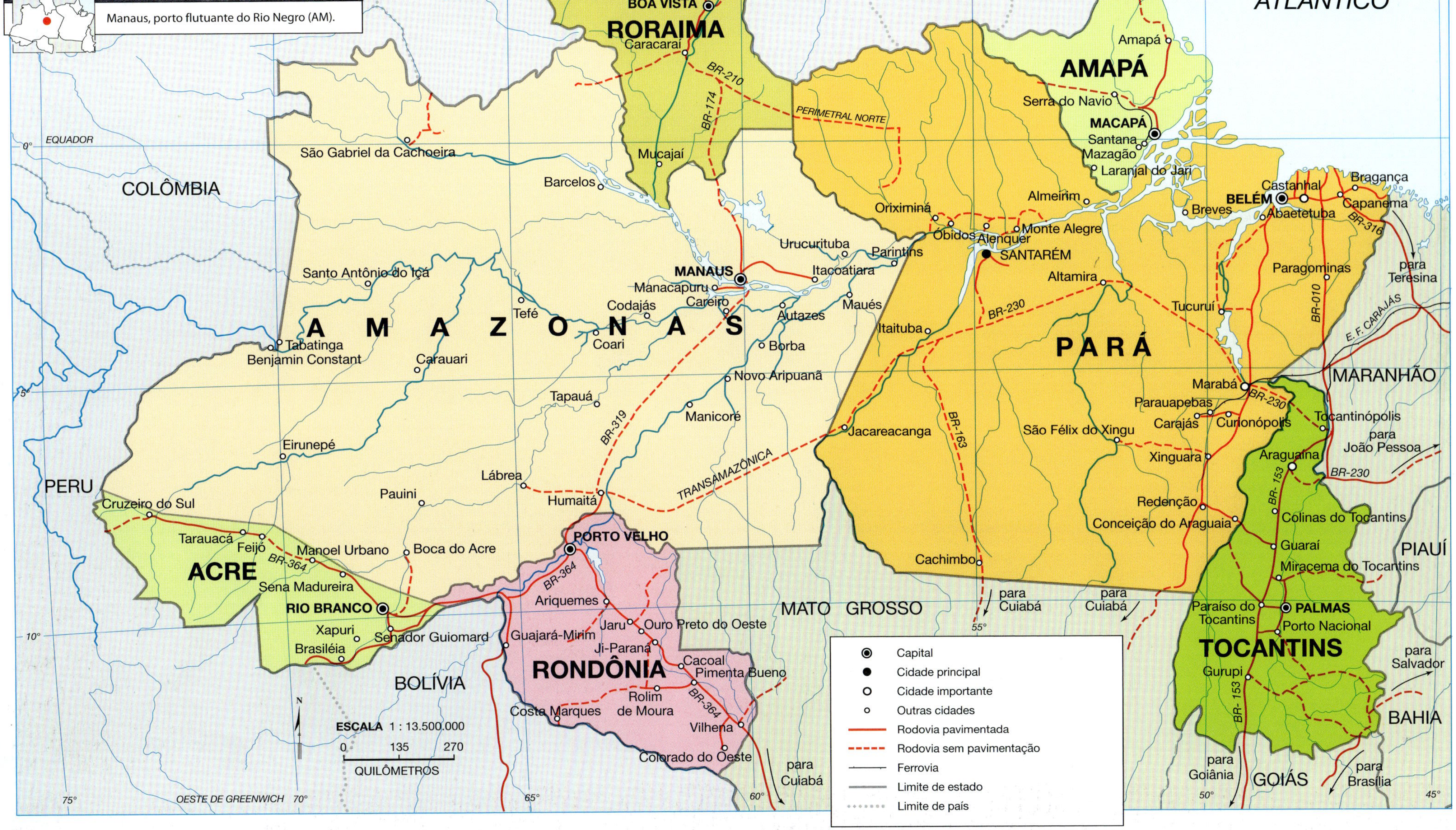

BRASIL REGIÃO NORDESTE FÍSICO

Açude de Orós, no Rio Jaguaribe (CE).

GENTIL BARREIRA/IMAGEM BRASIL

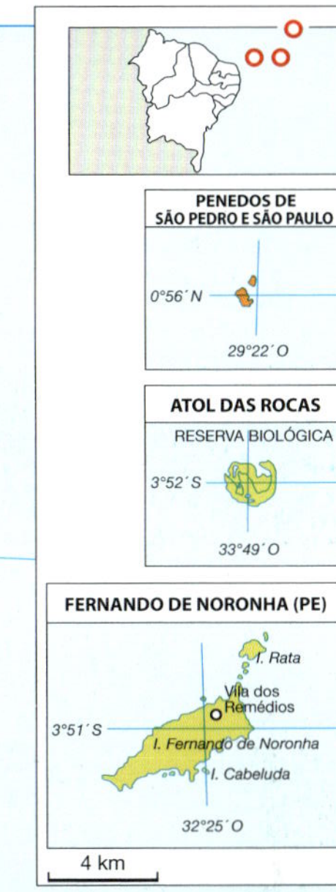

JOÃO PRUDENTE/PULSAR IMAGENS

Penedo, às margens do Rio São Francisco (AL).

BRASIL REGIÃO SUDESTE FÍSICO

FABIO COLOMBINI

Pico das Agulhas Negras, no Parque Nacional do Itatiaia (RJ/MG).

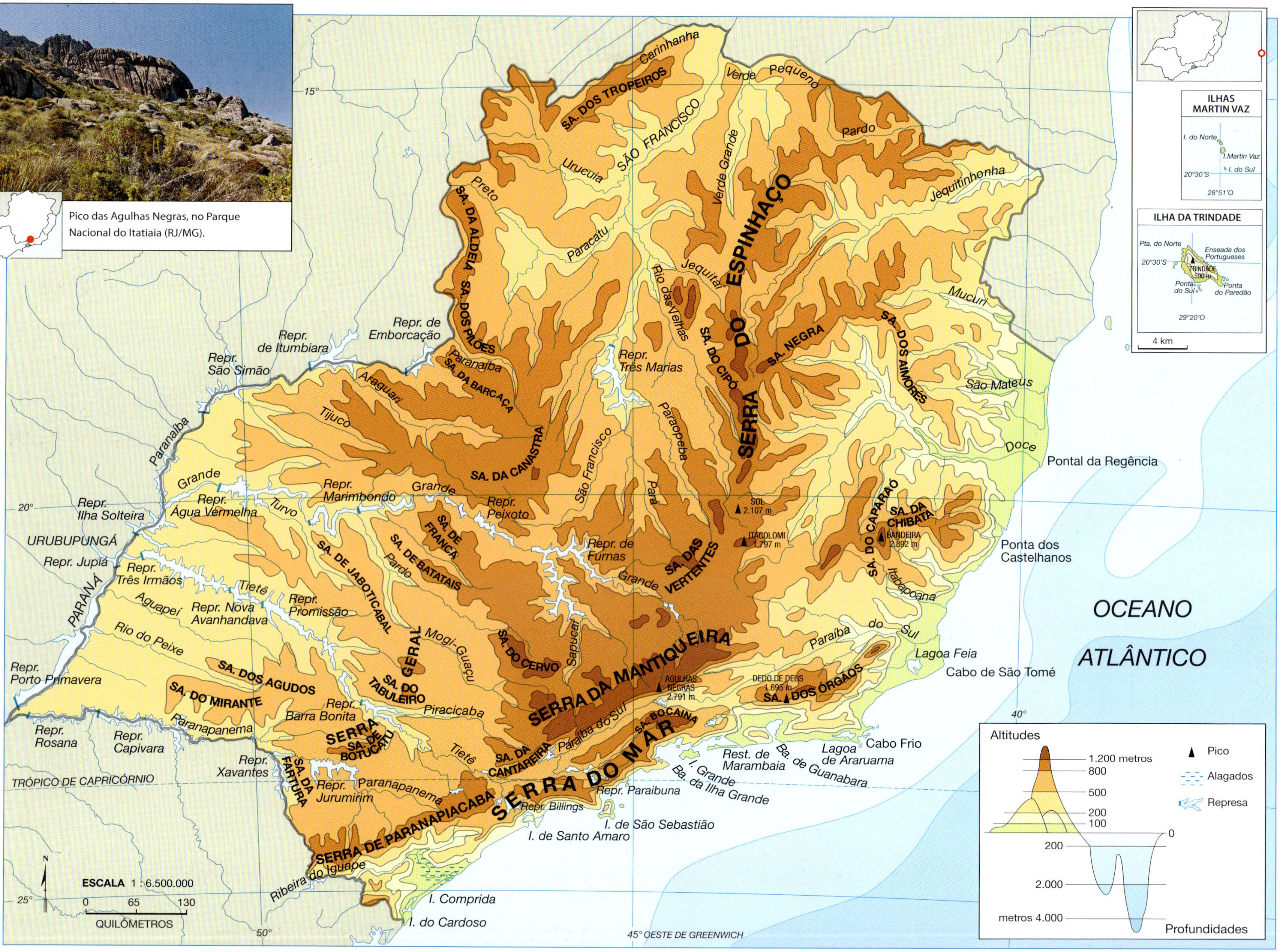

BRASIL REGIÃO SUDESTE POLÍTICO

Porto de Santos (SP).

DELFIM MARTINS/PULSAR IMAGENS

BRASIL REGIÃO SUL FÍSICO

Cataratas do Iguaçu, Foz do Iguaçu (PR).

ARY BASSOUS/TYBA

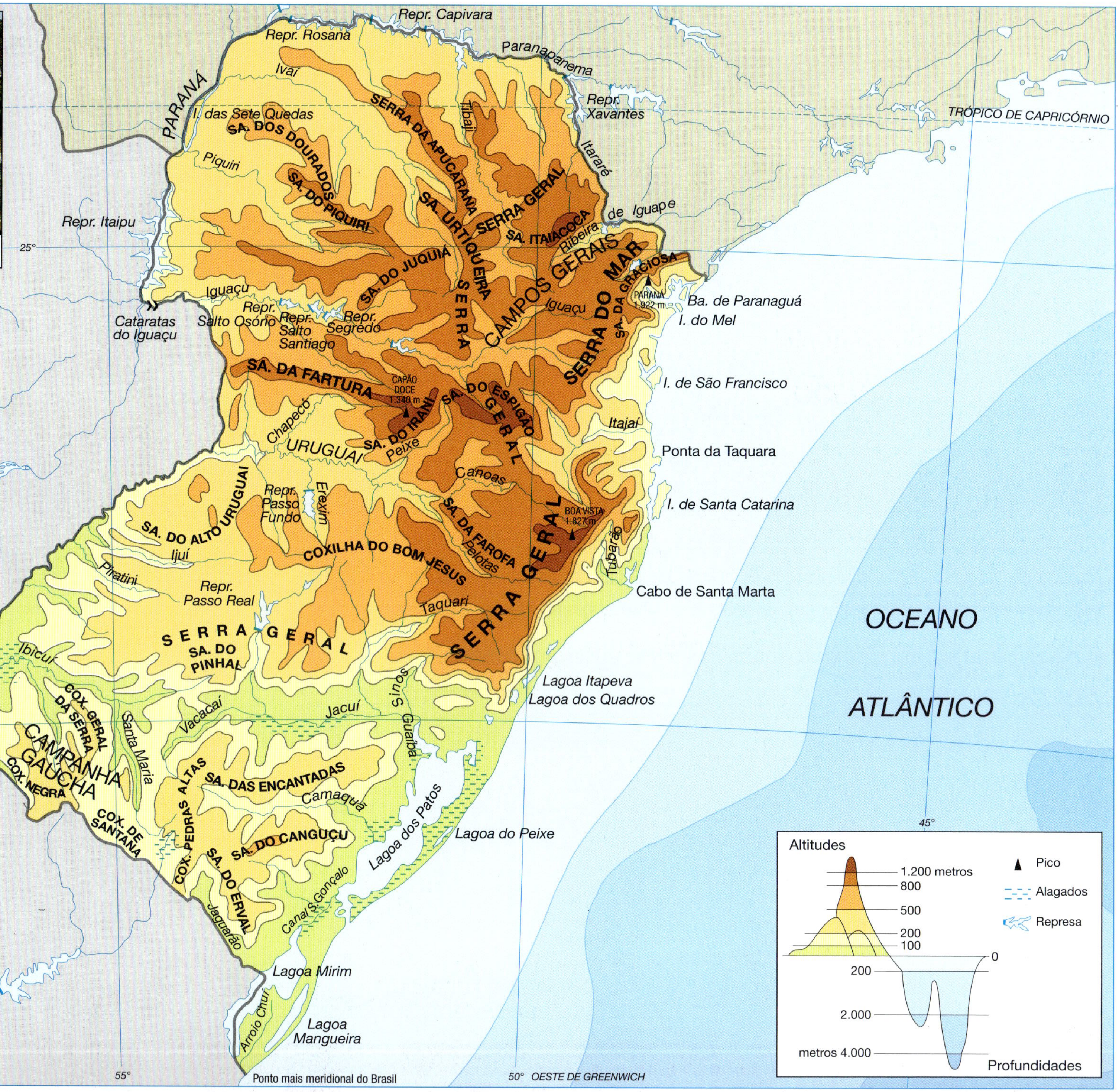

Ligação da porção insular de Florianópolis (SC) com o continente, ao fundo.

BRASIL REGIÃO CENTRO-OESTE FÍSICO

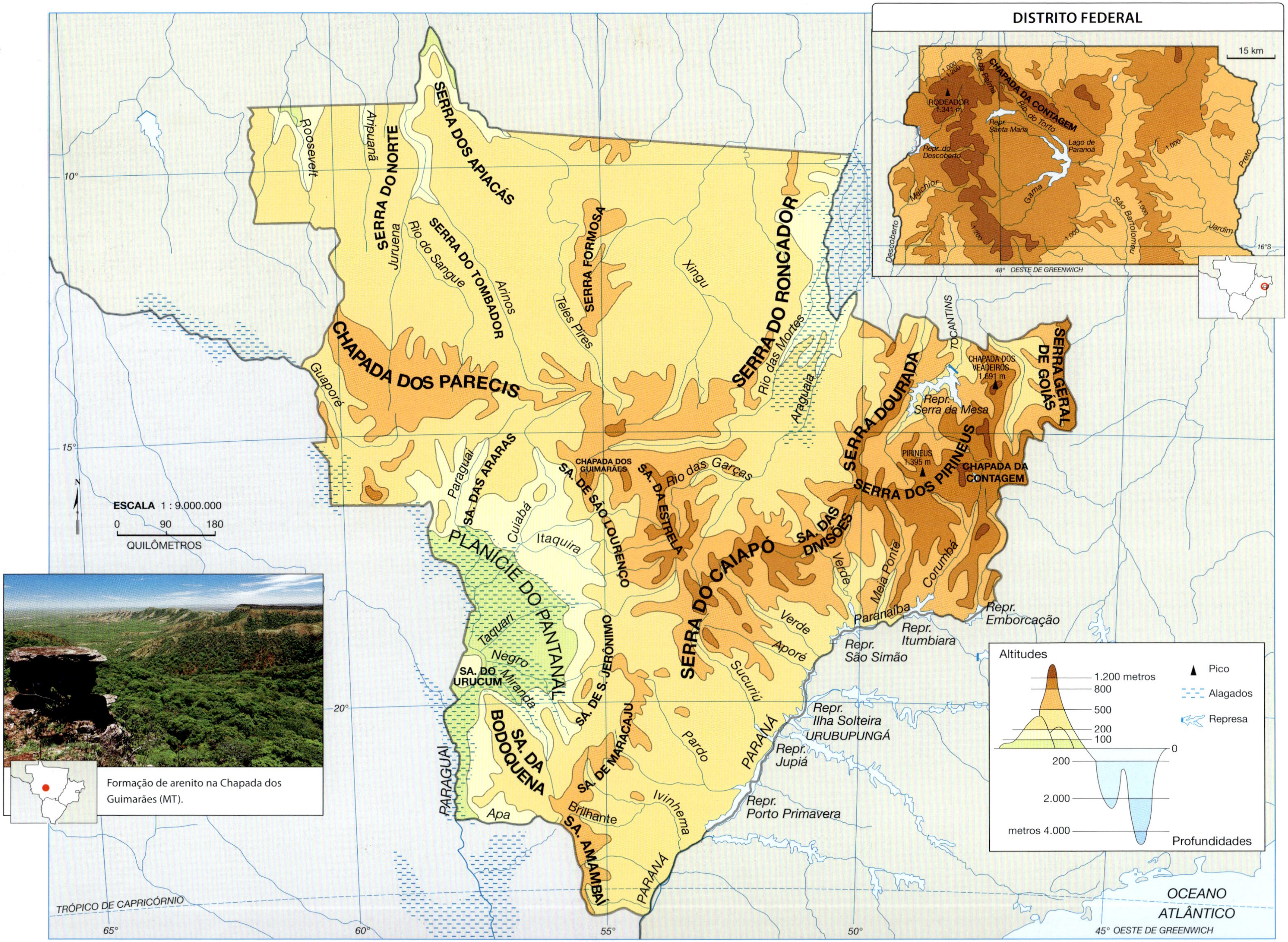

ARTUR KEUNECKE/PULSAR IMAGENS

Formação de arenito na Chapada dos Guimarães (MT).

BRASIL REGIÃO CENTRO-OESTE POLÍTICO

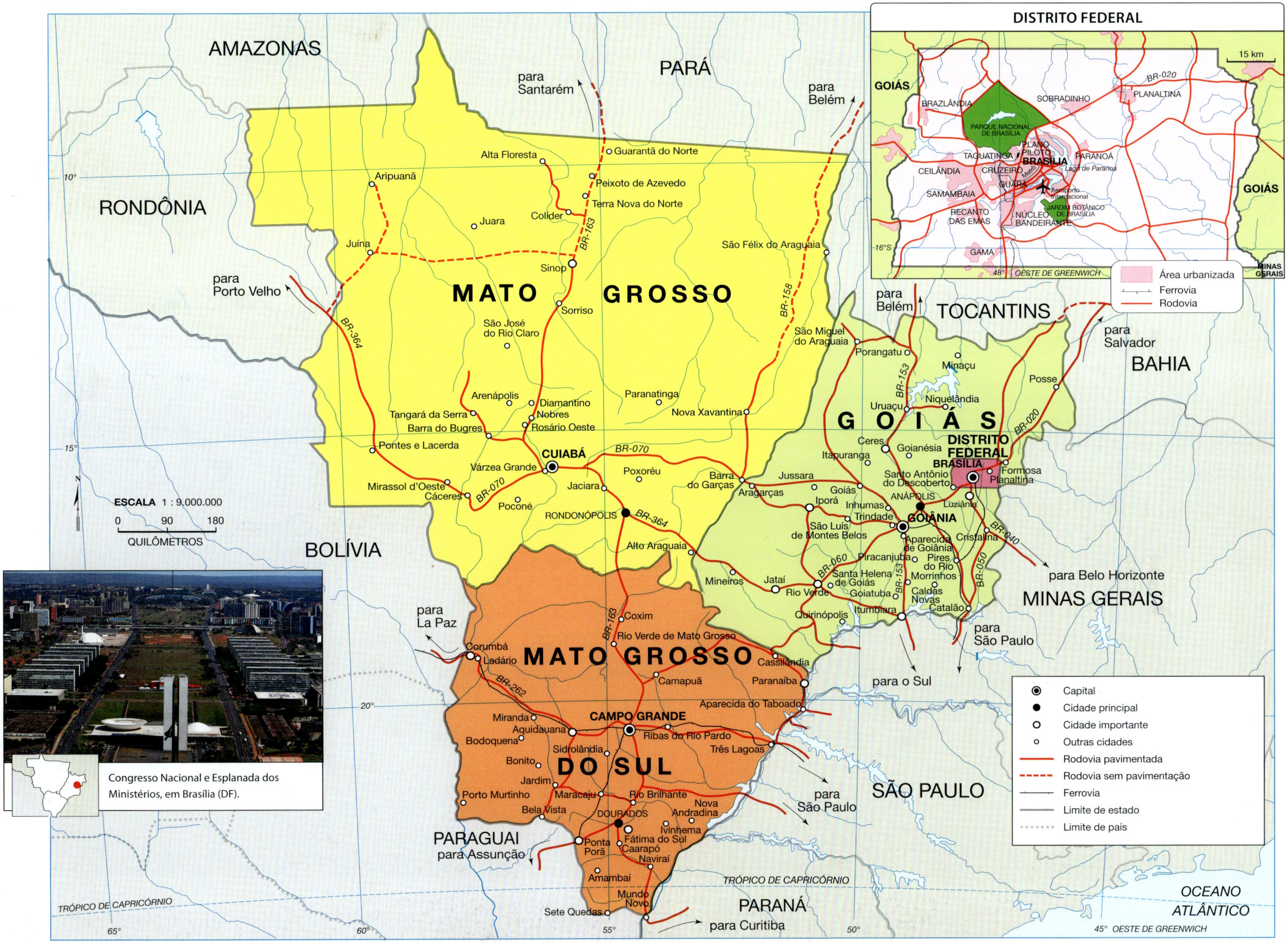

Congresso Nacional e Esplanada dos Ministérios, em Brasília (DF).

FABIO COLOMBINI

AMÉRICA FÍSICO

Cânion do Rio Colorado, no Arizona, Estados Unidos.

MICHAEL YAMASHITA/CORBIS/LATINSTOCK

Central Park, em Nova York, Estados Unidos.

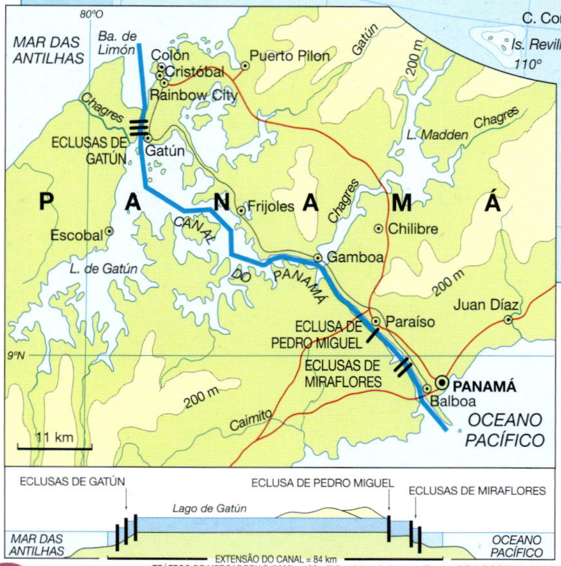

Fonte: DE AGOSTINI, 2010.

MARY KNOX MERRILL/THE CHRISTIAN SCIENCE MONITOR/GETTY IMAGES

CANAL DO PANAMÁ
ECLUSA DE MIRAFLORES

Altitudes: 4.000 metros; 2.000; 1.000; 500; 200; 0
Profundidades: 0; 200; 2.000; metros 4.000

Canal
▲ Pico
▼ Profundidade máxima

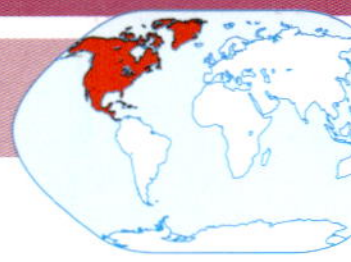

PEQUENAS ANTILHAS

ESCALA 1 : 40.000.000

0 400 800

QUILÔMETROS

- ⦿ Capital
- ● Cidade muito importante
- ⊙ Cidade importante
- ○ Outras cidades
- Rodovia
- Ferrovia

AMÉRICA DO SUL FÍSICO

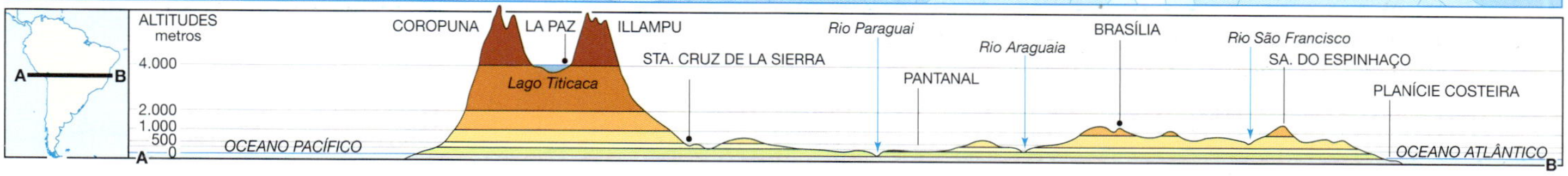

Bolívia, capitais: La Paz (administrativa, sede do governo) e Sucre (legal e sede do Judiciário).
Chile, capitais: Santiago (administrativa) e Valparaíso (legislativa).

AMÉRICA LATINA

POPULAÇÃO

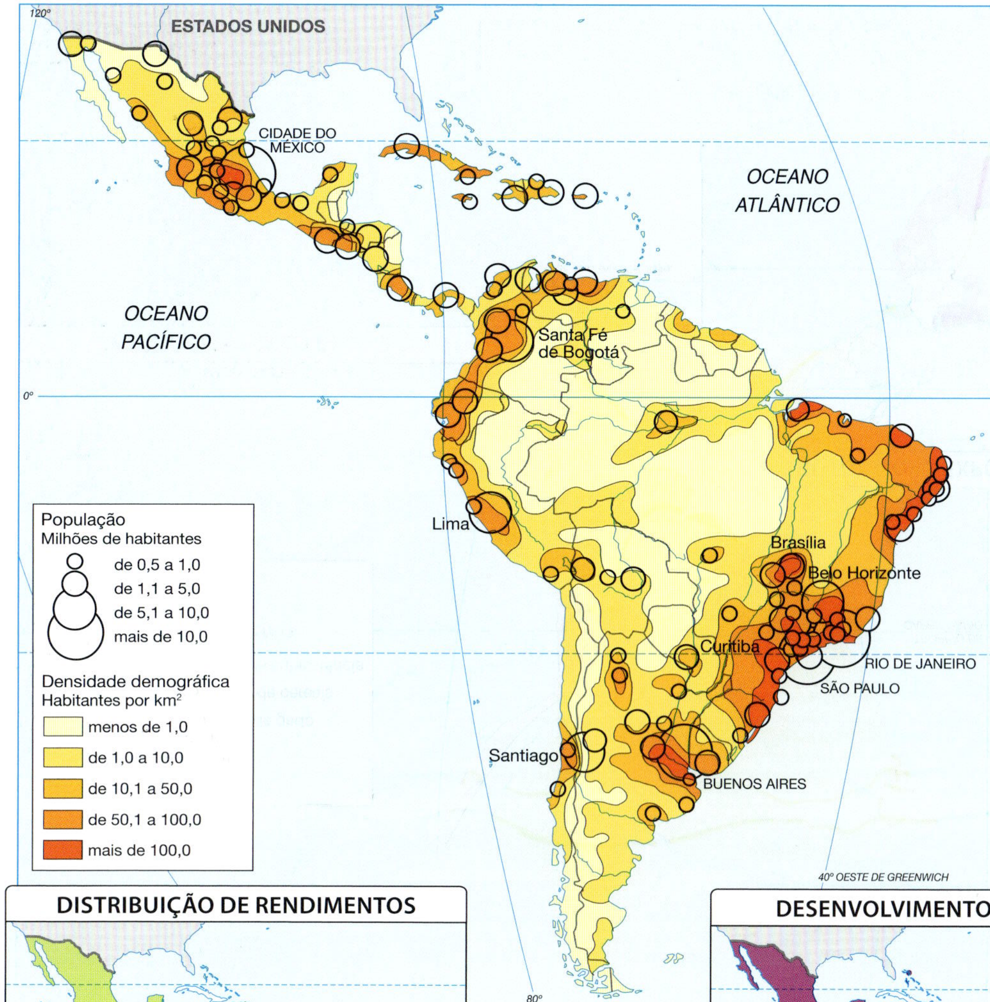

Fontes: CHARLIER, 2010; ONU, 2010.

GEOPOLÍTICA

Fontes: LACOSTE, 2006; LE MONDE DIPLOMATIQUE, 2010; DE AGOSTINI, 2010.

DISTRIBUIÇÃO DE RENDIMENTOS

Fonte: PNUD, 2010.

DESENVOLVIMENTO HUMANO

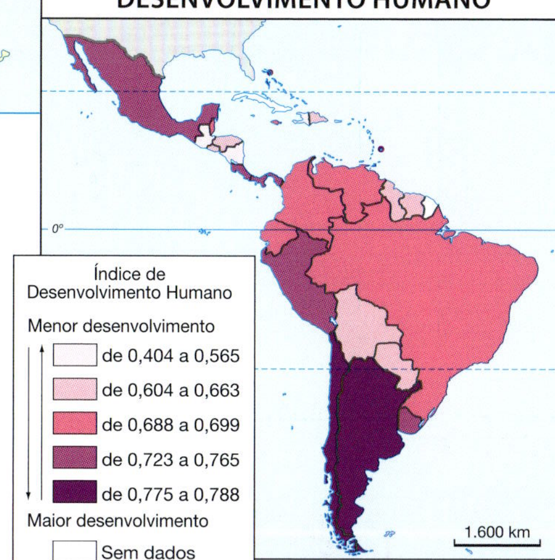

Fonte: PNUD, 2010.

ESPERANÇA DE VIDA

Países abaixo da média latino-americana (74 anos)

ALFABETIZAÇÃO DE ADULTOS

Países abaixo da média latino-americana (91%)

MORTALIDADE INFANTIL

Países acima da média latino-americana (20‰)*

Fonte: BANCO MUNDIAL, 2010.

*(‰) – por mil nascidos vivos

USO DA TERRA

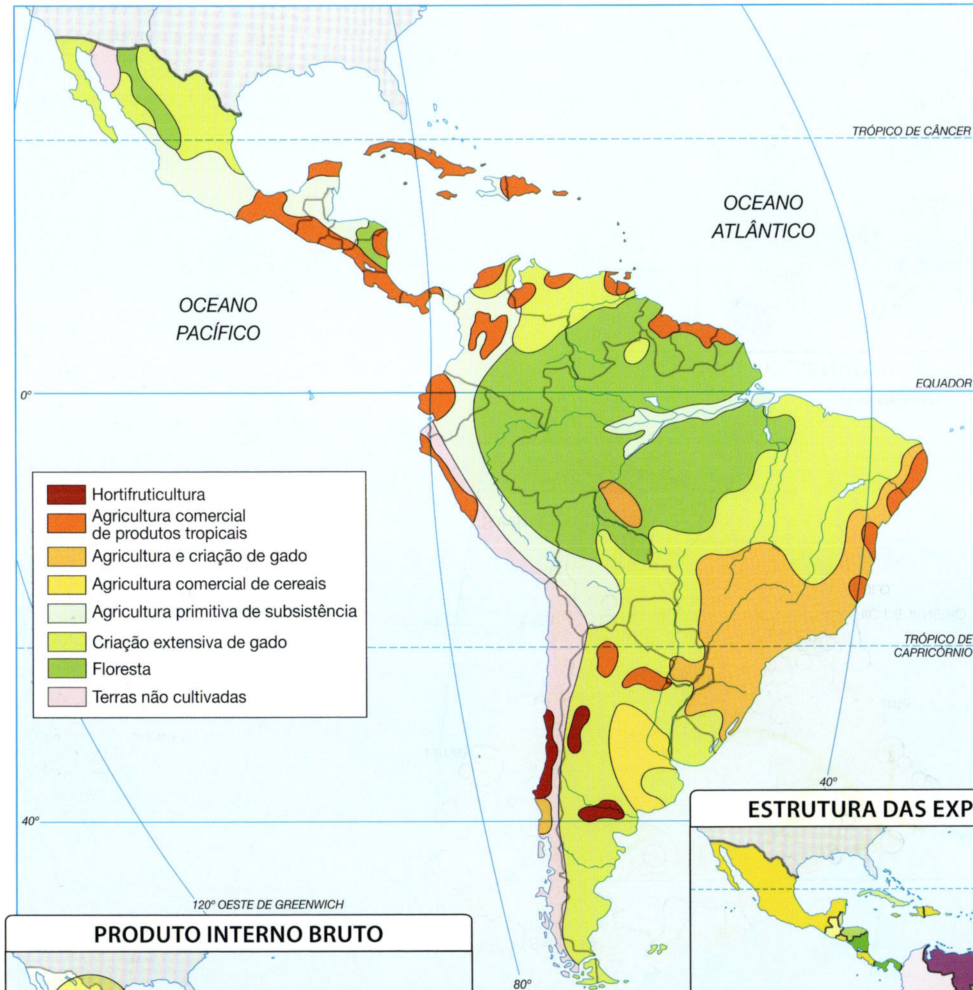

Fonte: adaptado de CHARLIER, 2010.

RECURSOS MINERAIS E INDÚSTRIA

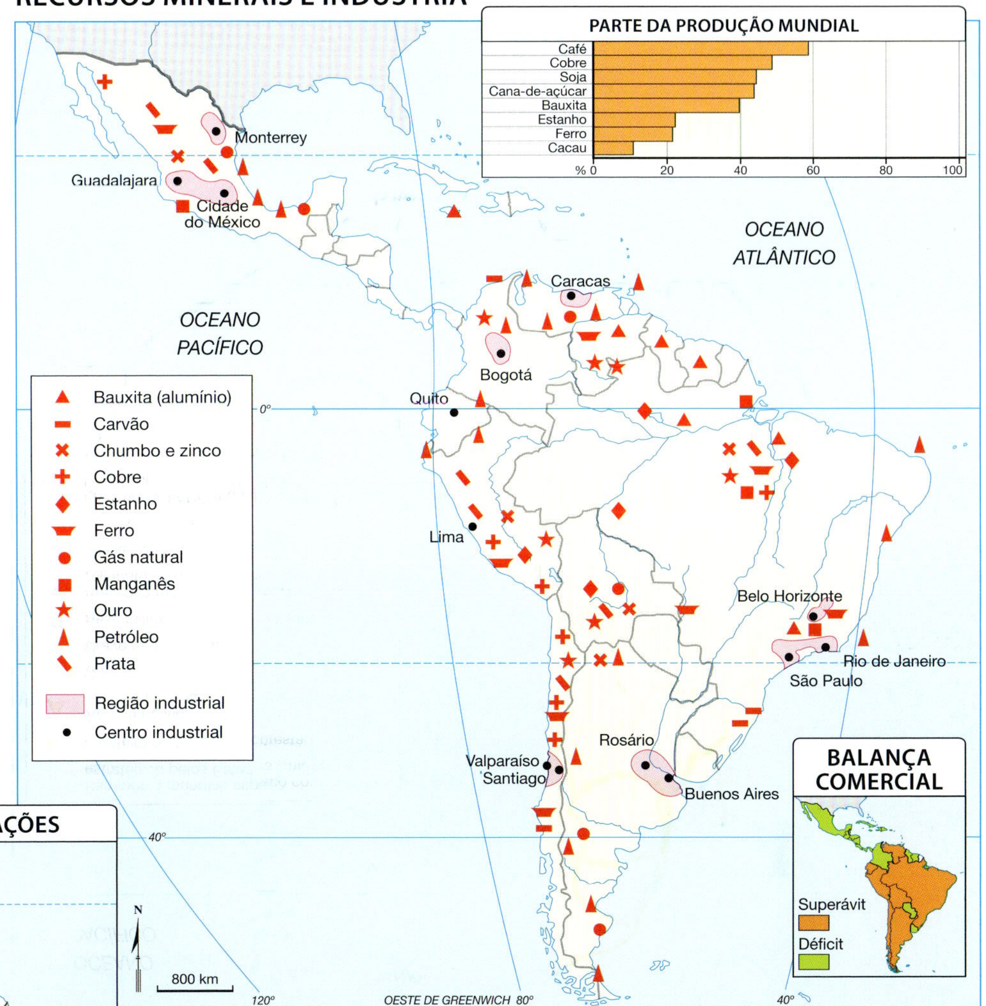

Fontes: BANCO MUNDIAL, 2010; CHARLIER, 2010; DE AGOSTINI, 2010.

PRODUTO INTERNO BRUTO

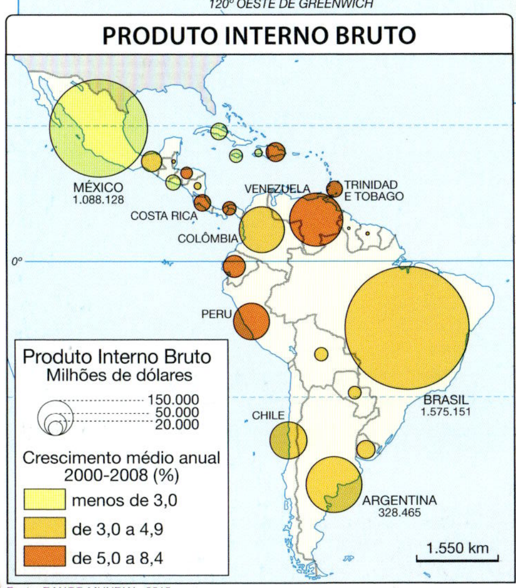

Fonte: BANCO MUNDIAL, 2010.

ESTRUTURA DAS EXPORTAÇÕES

Parte do total (%)	Alimentos e matérias-primas vegetais	Combustíveis, minerais e metais	Manufaturas
de 20 a 49			
de 50 a 75			
mais de 75			

Fonte: BANCO MUNDIAL, 2010.

PARTE DO COMÉRCIO EXTERIOR COM

Fonte: DE AGOSTINI, 2010.

CANADÁ E ESTADOS UNIDOS

CANADÁ PROVÍNCIAS E LÍNGUAS

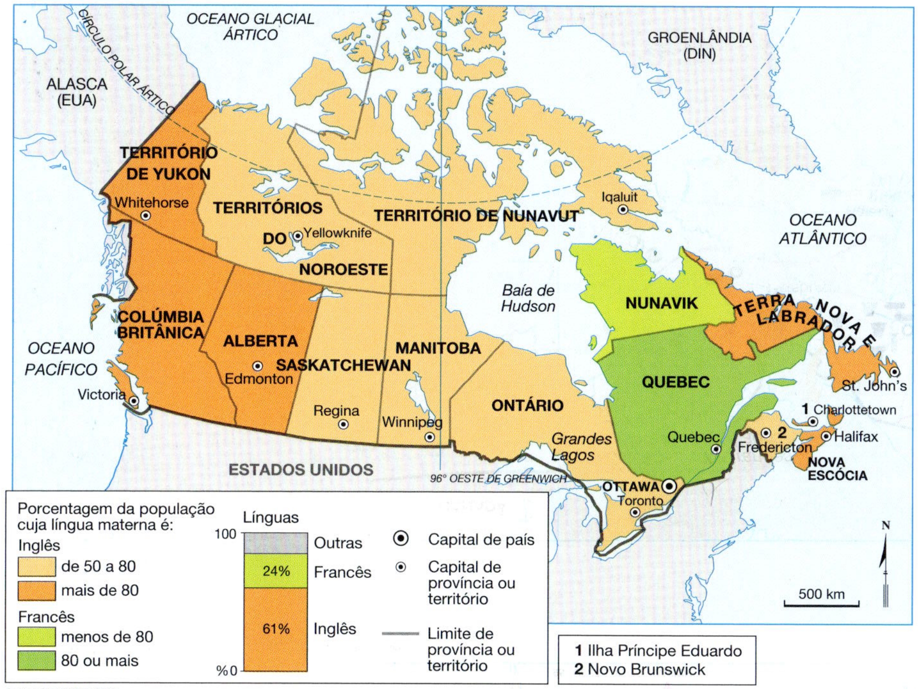

Fonte: CHARLIER, 2010.

CANADÁ ECONOMIA

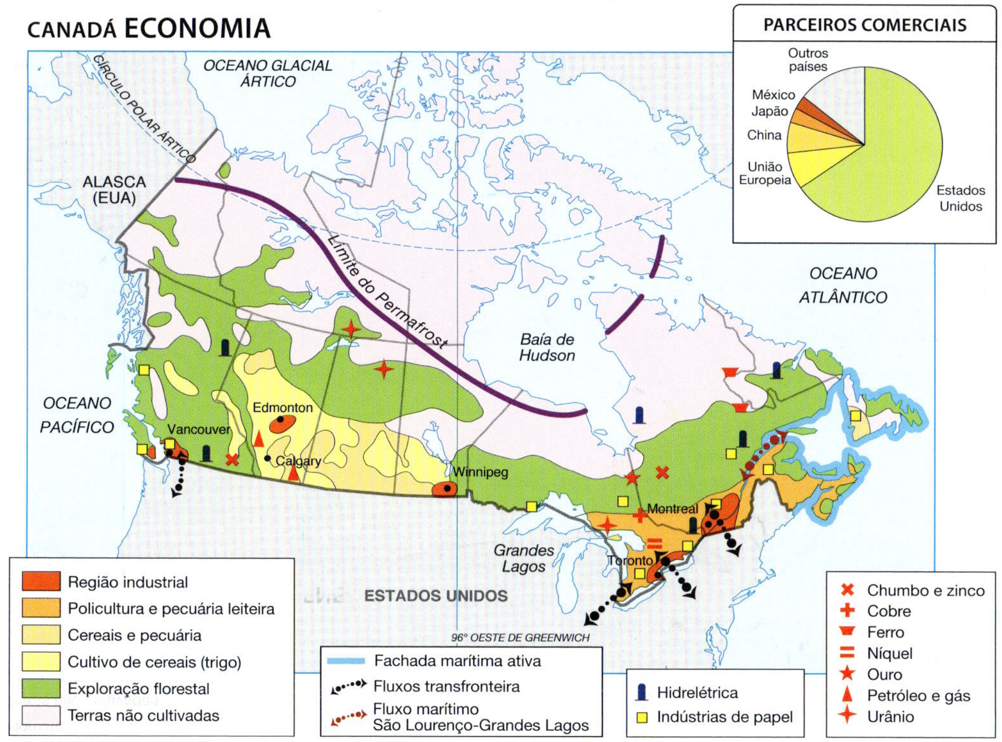

Fontes: KNAFOU, 2008; CHARLIER, 2010.

ESTADOS UNIDOS POLÍTICO

ESTADOS UNIDOS PARCEIROS COMERCIAIS

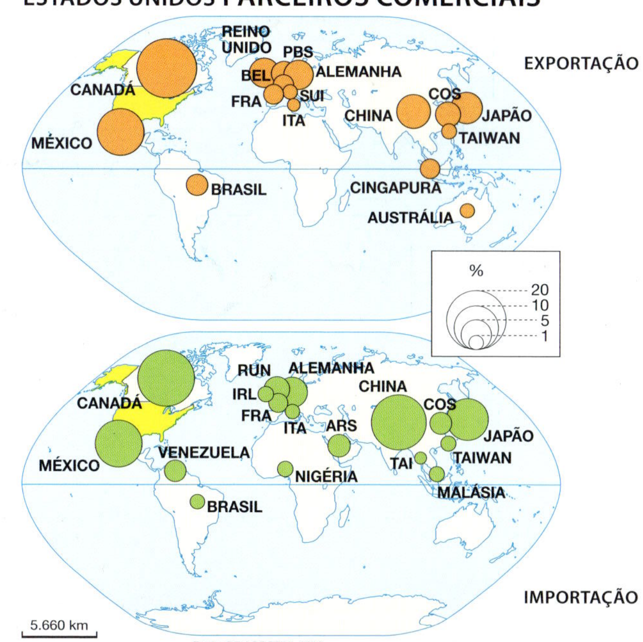

Fonte: DE AGOSTINI, 2010.

ESTADOS UNIDOS

USO DA TERRA

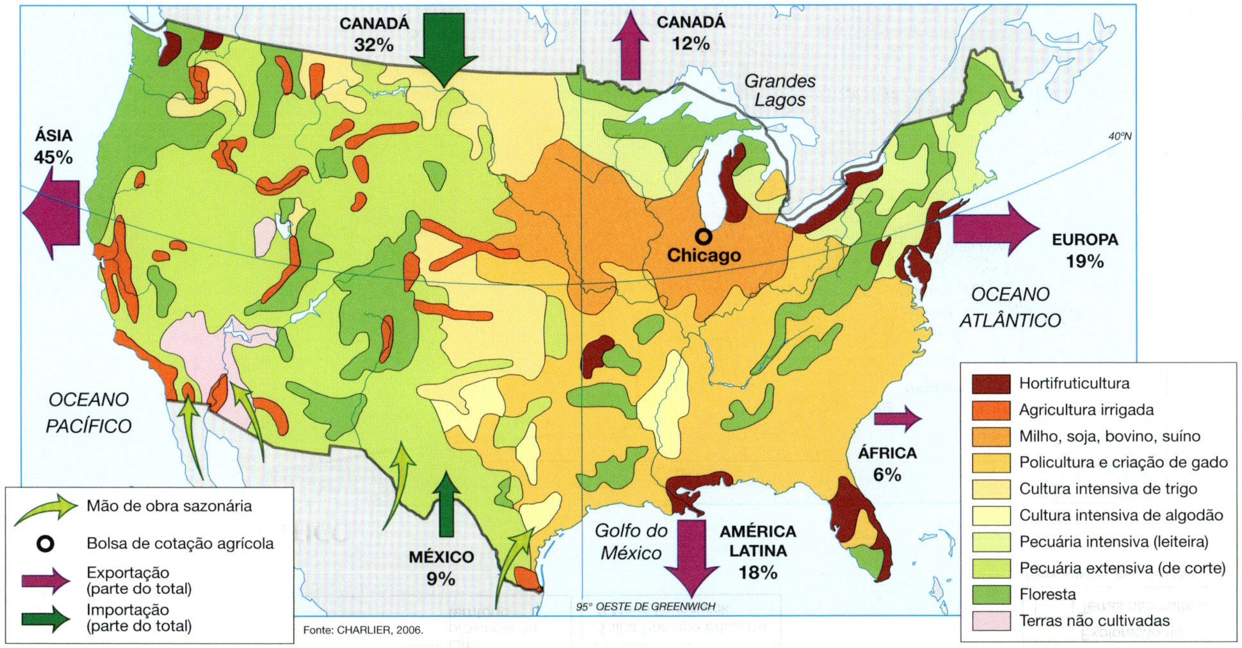

Fonte: CHARLIER, 2006.

INDÚSTRIA

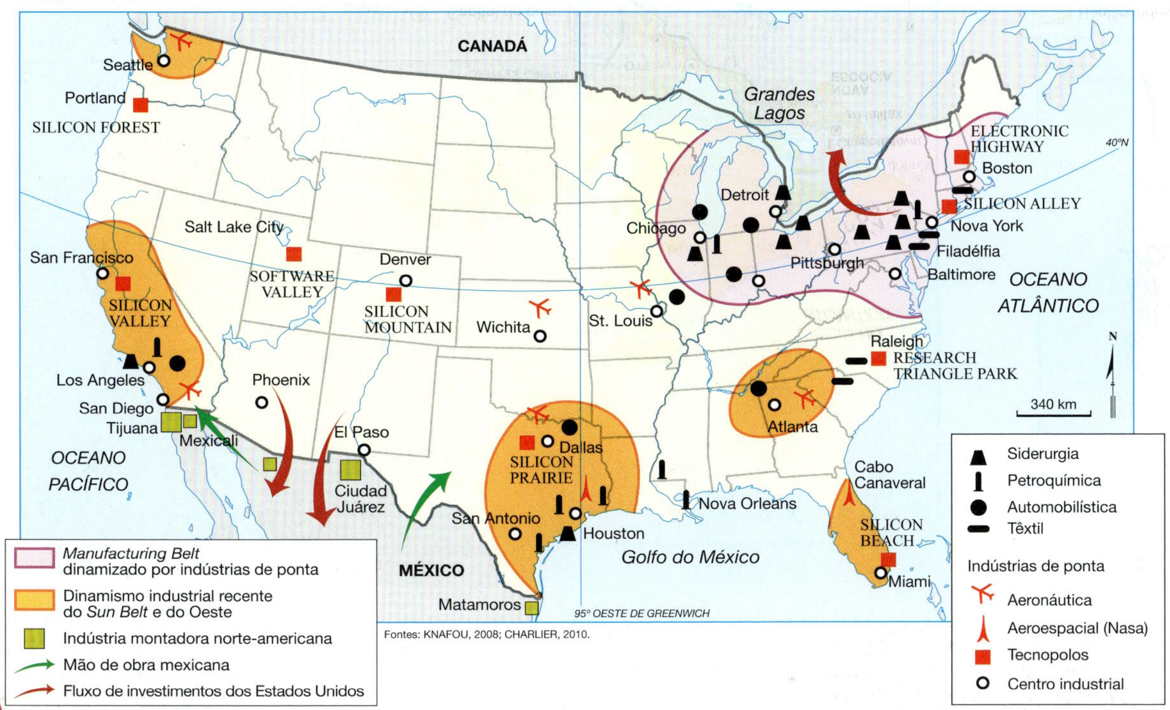

Fontes: KNAFOU, 2008; CHARLIER, 2010.

POPULAÇÃO

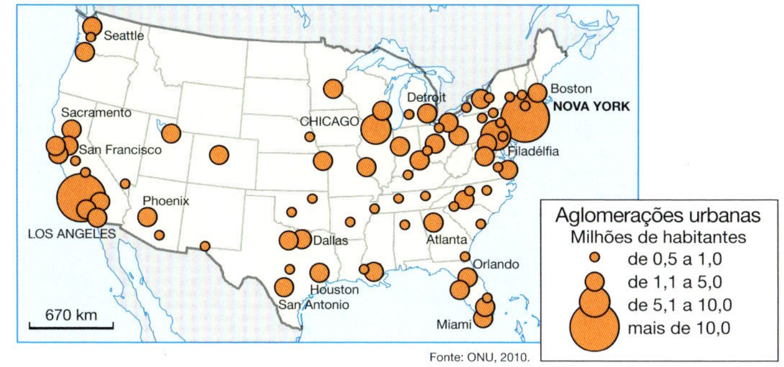

Fonte: ONU, 2010.

MINORIAS ÉTNICAS

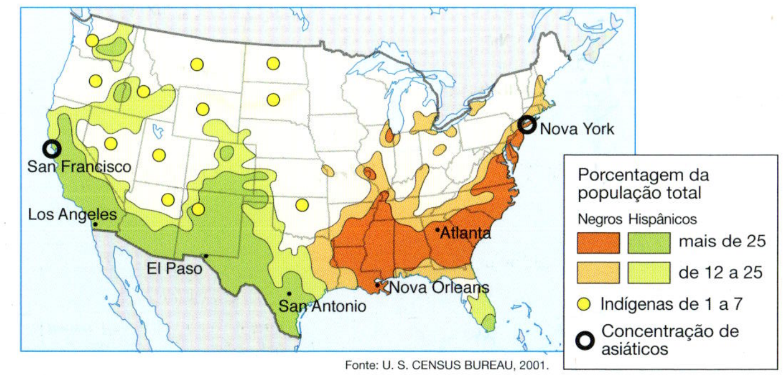

Fonte: U. S. CENSUS BUREAU, 2001.

ENERGIA

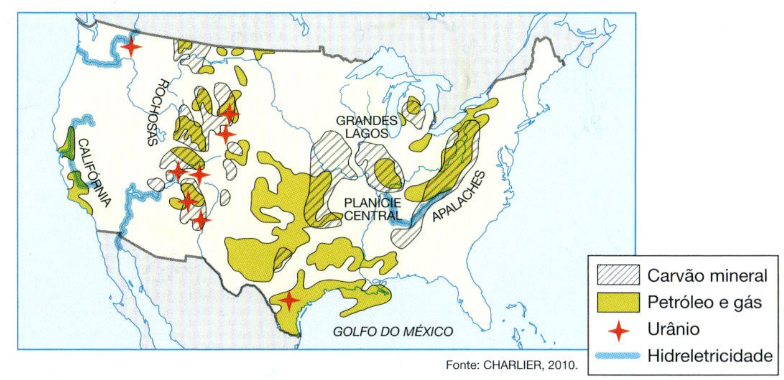

Fonte: CHARLIER, 2010.

TRANSPORTE

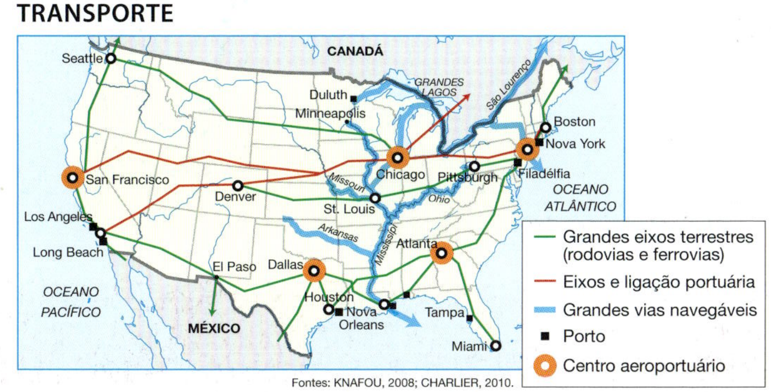

Fontes: KNAFOU, 2008; CHARLIER, 2010.

FÍSICO

EARTH SATELLITE CORPORATION/SPL/LATINSTOCK

DELTA DO RIO NILO

IMAGEM LANDSAT

A grande área em vermelho são as terras férteis utilizadas para agricultura. As áreas verdes, próximas à costa, são lagunas e pântanos. A mancha esverdeada ao sul mostra a cidade do Cairo.

Capital

Cidade importante

África do Sul, capitais: Cidade do Cabo (legislativa), Pretória (administrativa) e Bloemfontein (judiciária). Costa do Marfim, capitais: Abidjan (administrativa) e Yamoussoukro (legislativa). Tanzânia, capitais: Dar-es-Salaam (administrativa) e Dodoma (legislativa).

Neste atlas, os mapas que apresentam dados do Sudão anteriores à independência do Sudão do Sul, em 9 de julho de 2011, trazem a nova fronteira representada com traço pontilhado (•••••••••).

Fonte: DE AGOSTINI, 2010.

CRIS BOURONCLE/AFP/GETTY IMAGES

CANAL DE SUEZ (2010)

PÔLDER, PAÍSES BAIXOS

EUROPA POLÍTICO

Vaticano, Mônaco e San Marino são os países de menor extensão da Europa.

ÁSIA FÍSICO

EUROPA
ÁFRICA
OCEANIA
OCEANO GLACIAL ÁRTICO
OCEANO PACÍFICO
OCEANO ÍNDICO
CÍRCULO POLAR ÁRTICO
TRÓPICO DE CÂNCER
EQUADOR
LESTE DE GREENWICH 70°
MAR MEDITERRÂNEO
MAR NEGRO
MAR CÁSPIO
MAR VERMELHO
MAR ARÁBICO
MAR DE KARA
MAR DE LAPTEV
MAR DA SIBÉRIA ORIENTAL
MAR DE BERING
MAR DE OKHOTSK
MAR DO JAPÃO (MAR DO LESTE)
MAR AMARELO
MAR DA CHINA ORIENTAL
MAR DA CHINA MERIDIONAL
MAR DAS FILIPINAS
MAR DE CELEBES
MAR DE JAVA
MAR DE BANDA
MAR DE ARAFURA
MAR DE TIMOR
Mar de Aral
Golfo Pérsico
Golfo de Omã
Golfo de Áden
Golfo de Bengala
Golfo de Tonkim
Golfo de Sião
Bab el Mandeb
Canal de Suez
Estr. de Bering
Estr. da Coreia
Estr. de Formosa
Estr. de Málaca
FOSSA DAS KURILAS
FOSSA DAS FILIPINAS
10.500 m
10.230 m
10.400 m
MONTES URAIS
MONTES KOLIMA
MTS. VERKOIANSK
MTS. STANOVOI
MTS. IABLONOVI
MTS. SAIAN
MTS. KHANGAI
MONTES ALTAI
TIAN SHAN
PAMIR
HINDU KUSH
CARACORUM
MONTES KUNLUN
HIMALAIA
CÁUCASO
TAURUS
ELBURZ
MTS. ZAGROS
GATES OCIDENTAL
GATES ORIENTAL
PLANÍCIE DA SIBÉRIA
PLANALTO CENTRAL SIBERIANO
PLANALTO DO TIBETE
PLANALTO DO IRÃ
PLANALTO DA ARÁBIA
PLANALTO DO DECÃ
PLANÍCIE DO GANGES
DESERTO DE GOBI
DESERTO DE TAKLA MAKAN
DESERTO DO IRÃ
DESERTO DA ARÁBIA
DESERTO DE THAR
DEPRESSÃO CASPIANA
DEPRESSÃO DE TURPAN -154 m
MESOPOTÂMIA
SINAI
PEN. DA ANATÓLIA
PENÍNSULA DE TAIMIR
PEN. KAMTCHATKA
PENÍNSULA DA INDOCHINA
ARARAT 5.165 m
DAMAVAND 5.605 m
COMUNISMO 7.495 m
K2 8.611 m
DHAULAGIRI 8.172 m
EVEREST 8.848 m
KANCHENJUNGA 8.586 m
MINYA KONKA 7.590 m
MONTE FUJI 3.776 m
KINABALU 4.102 m
KERINCI 3.798 m
Ural
Tobol
Ob
Irtych
Ienissei
Angara
Lena
Kolima
Amur
Syr Daria
Amu Daria
Tigre
Eufrates
Indo
Ganges
Brahmaputra
Saluen
Mekong
Si-Kiang
Yang Tsé-Kiang (Azul)
Hoang-Ho (Amarelo)
L. Baikal
L. Balkash
L. de Van
I. Chipre
I. Socotra
Is. Lacadivas
Is. Maldivas
I. Ceilão
I. Wrangel
I. S. Lourenço
Is. da Nova Sibéria
Is. Terra do Norte
Is. Nova Zembla
Is. Aleutas
Is. Kurilas
I. Sacalina
I. Hokkaido
I. Honshu
I. Shikoku
I. Kiushu
Is. Ryukyu
I. Okinawa
I. Formosa
Hainan
I. Luzon
I. Mindanao
I. Bornéo
I. Celebes
Is. Molucas
I. Sumatra
I. Java
I. Bali
I. Timor
I. Nova Guiné
Altitudes
4.000 metros
1.500
500
200
0
200
2.000
metros 4.000
Depressão
Profundidades
Pico
Profundidade máxima
ESCALA 1 : 56.000.000
0 560 1.120
QUILÔMETROS
N

OCEANO GLACIAL ÁRTICO
CÍRCULO POLAR ÁRTICO
TRÓPICO DE CÂNCER
EQUADOR
OCEANO PACÍFICO
OCEANO ÍNDICO
EUROPA
ÁFRICA
OCEANIA
RÚSSIA
RÚSSIA (PARTE EUROPEIA)
CHINA (REP. POPULAR)
MONGÓLIA
CAZAQUISTÃO
UZBEQUISTÃO
TURCOMENISTÃO
QUIRGUISTÃO
TADJIQUISTÃO
AFEGANISTÃO
PAQUISTÃO
ÍNDIA
NEPAL
BUTÃO
BANGLADESH
SRI LANKA
MALDIVAS
MIANMAR
TAILÂNDIA
LAOS
VIETNÃ
CAMBOJA
MALÁSIA
INDONÉSIA
FILIPINAS
JAPÃO
COREIA DO NORTE
COREIA DO SUL
TAIWAN (REP. DA CHINA NAC.)
TIMOR LESTE
BRUNEI
IRIAN JAYA (INDONÉSIA)
TURQUIA
(Turquia europeia)
GEÓRGIA
ARMÊNIA
AZERBAIJÃO
CHIPRE
LÍBANO
ISRAEL
SÍRIA
JORDÂNIA
IRAQUE
IRÃ
KUAIT
ARÁBIA SAUDITA
BAREIN
CATAR
EMIRADOS ÁRABES UNIDOS
OMÃ
IÊMEN
EGITO (PARTE ASIÁTICA)
MAR MEDITERRÂNEO
MAR NEGRO
MAR CÁSPIO
MAR VERMELHO
MAR ARÁBICO
Golfo de Áden
Golfo de Bengala
Golfo de Sião
MAR DA CHINA MERIDIONAL
MAR DA CHINA ORIENTAL
MAR DAS FILIPINAS
MAR DE CELEBES
MAR DE BANDA
MAR DE JAVA
MAR DE BERING
MAR DE KARA
Mar de Aral
L. Balkash
L. Baikal
Estr. de Bering
I. Wrangel
I. S. Lourenço (EUA)
Is. Aleutas (EUA)
Is. da Nova Sibéria
Is. Terra do Norte
Is. Nova Zembla
I. Sacalina
Is. Kurilas
Is. Ryukyu
Is. Molucas
I. Socotra (IEM)
I. Mindanao
I. Borneo
I. Sumatra
I. Bali
I. Timor
ANCARA
Istambul
Izmir
TBILISI
IEREVAN
BAKU
NICÓSIA
BEIRUTE
DAMASCO
JERUSALÉM
AMÃ
BAGDÁ
Aleppo
Mosul
Tabriz
Basra
AL KUAIT
Abadan
Isfahan
TEERÃ
Mashad
ACHKHABAD
TACHKENT
Samarcanda
Shimkent
DUCHAMBE
BISHKEK
Taraz
Almaty
ASTANA
Karaganda
Semipalatinsk
CABUL
Herat
Kandahar
ISLAMABAD
Lahore
Karachi
Hyderabad
Medina
Jiddah
Meca
RIAD
Hofuf
MANAMA
DOHA
ABU DABI
MASCATE
SANA
Áden
NOVA DÉLHI
Délhi
Jaipur
Kanpur
Ahmadabad
Mumbai (Bombaim)
Pune
Nagpur
Hyderabad
Bangalore
Chennai (Madras)
Coimbatore
Madurai
Cochin
Calcutá
KATMANDU
THIMPHU
DACCA
Chittagong
COLOMBO
MALE
Llasa
Urumqi
Ekaterinburgo
Chelyabinsk
Omsk
Novosibirsk
Tomsk
Krasnoiarsk
Kemerovo
Novokuzneck
Barnaul
Bratsk
Irkutsk
Ulan-Ude
Norilsk
Verkoiansk
Iakutsk
Magadan
Anadyr
Petropavlovski-Kamtchatski
Khabarovsk
Vladivostok
Darhan
ULAN BATOR
Harbin
Fushun
Shenyang
PEQUIM (BEIJING)
Tianjin
Dalian
Taiyuan
Chengzhou
Xian
Nanquim
Wuhan
Hangzhou
Xangai
Chengdu
Chongqing
Kunming
Guangzhou (Cantão)
Hong Kong
Macau
TAIPÉ
Chongjin
PYONGYANG
SEUL
Sapporo
TÓQUIO
Yokohama
Kyoto
Nagoya
Kobe
Osaka
Hiroshima
Kitakyushu
Nagasaki
Mandalay
YANGON
Bassein
HANÓI
Haiphong
VIENTIANE
BANGCOC
Battambang
PHNOM PENH
Ho Chi Minh (Saigon)
MANILA
Quezon City
Davao
George Town
Medan
KUALA LUMPUR
CINGAPURA
Kuching
BANDAR SERI BEGAWAN
Palembang
JACARTA
Bandung
Surabaia
DILI
60° LESTE DE GREENWICH
Capital
Cidade importante
ESCALA 1 : 56.000.000
0 560 1.120
QUILÔMETROS
N

OCEANIA FÍSICO E POLÍTICO

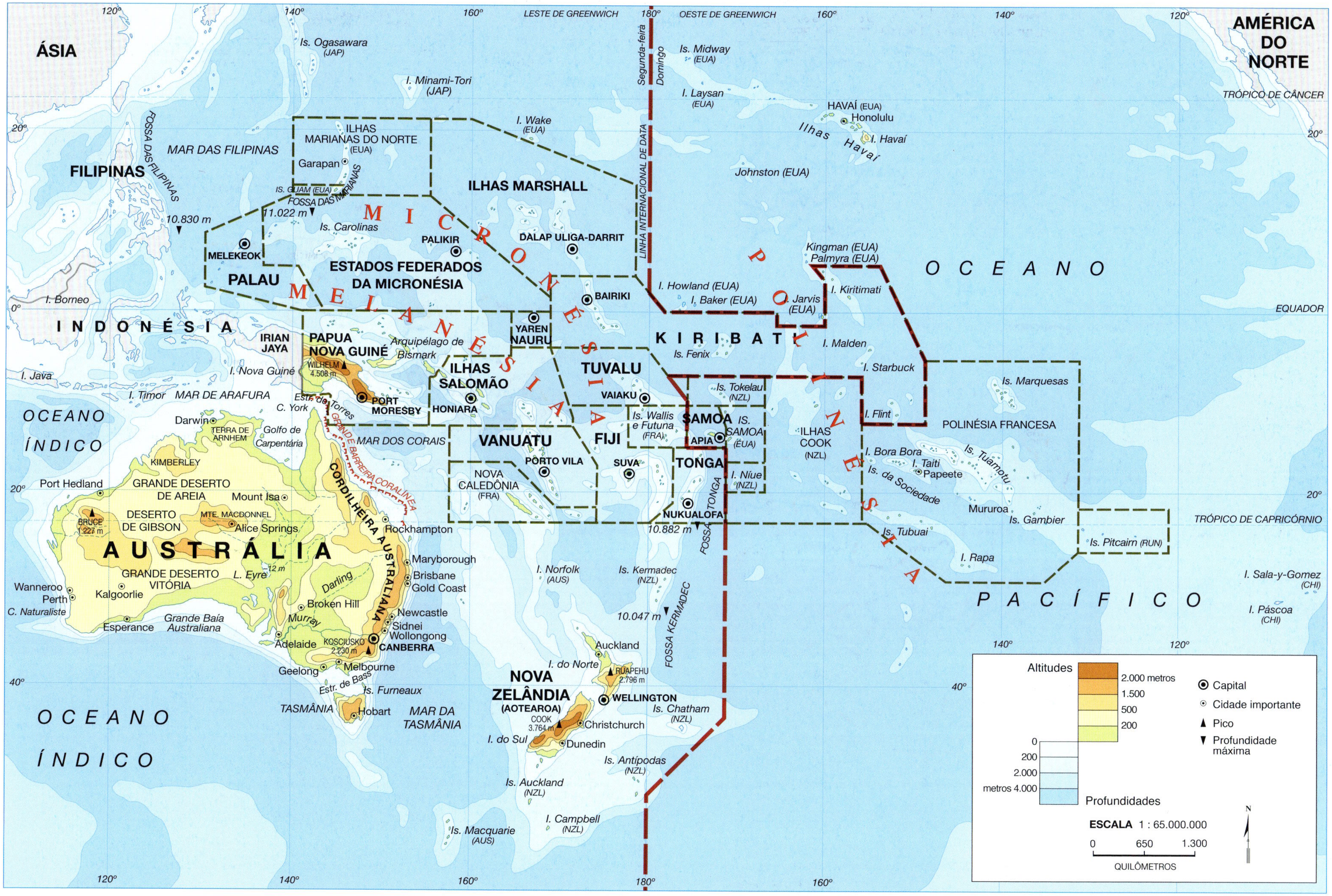

ÁRTICO

Inlandisis

Banquisa

Limite de Zona Econômica Exclusiva (ZEE)

Território autônomo Nunavut

RÚSSIA Membros permanentes do Conselho do Ártico

Limite meridional dos países do AMAP: Programa de Avaliação e Monitoramento do Ártico

Reservas comprovadas de petróleo e gás

Exploração de petróleo

Explotação de gás

Extração de minérios

Rota marítima do norte

Fontes: KNAFOU, 2008; CHARLIER, 2010.

ANTÁRTIDA

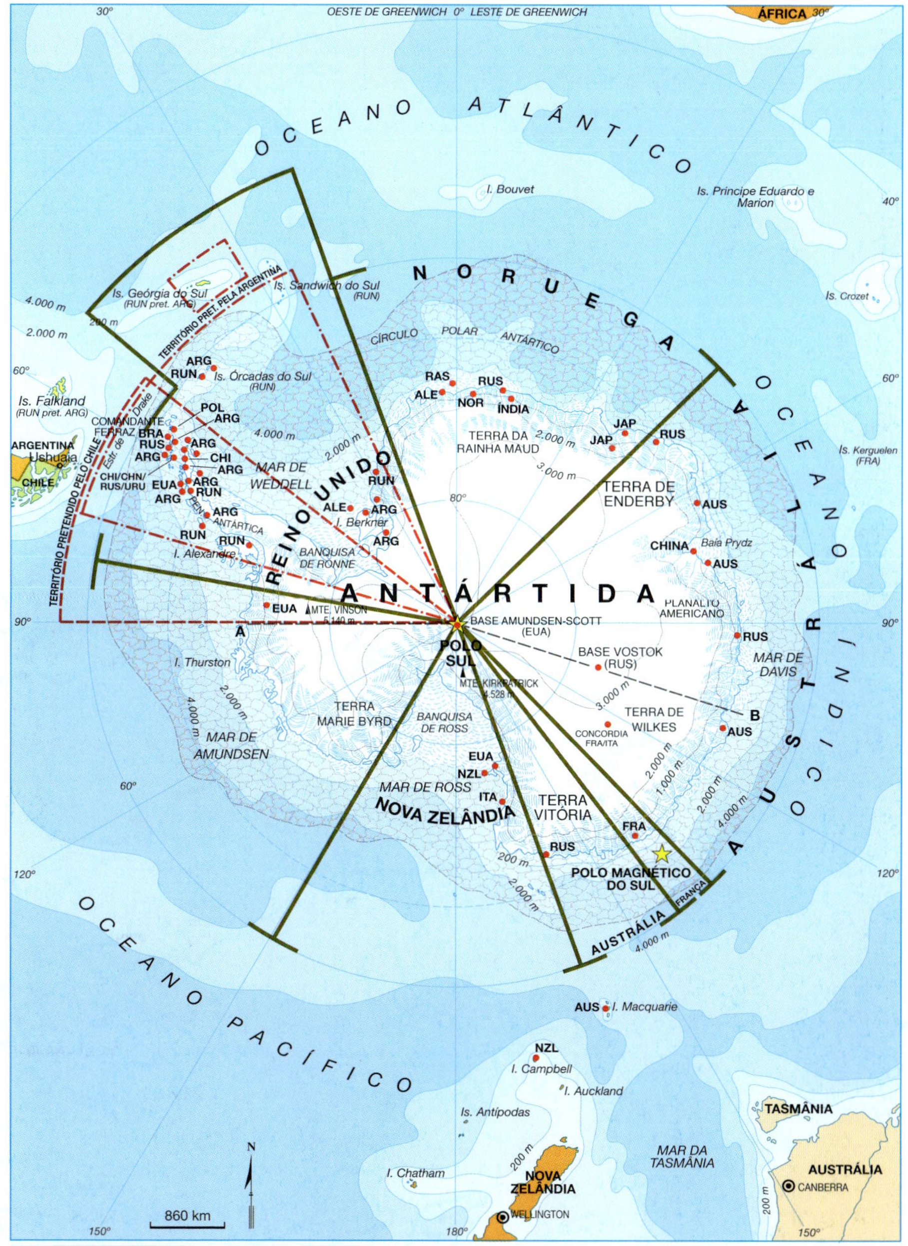

Inlandisis: espessas camadas de gelo cobrindo o relevo

Banquisa

Estação científica

Limite do setor pretendido por país

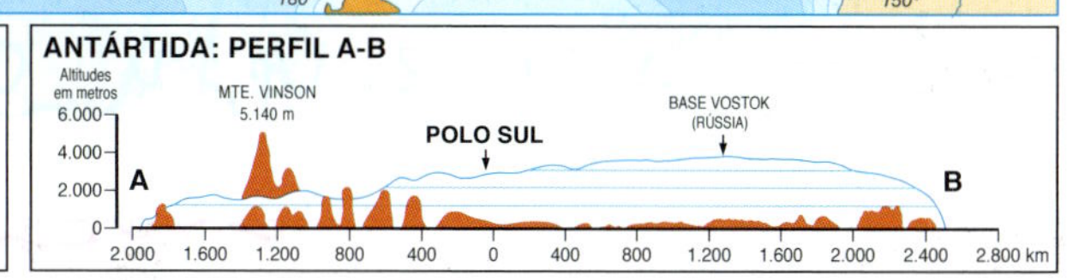

Fontes: NATIONAL GEOGRAPHIC, 2005; CHARLIER, 2010; DE AGOSTINI, 2010.

ECONOMIA

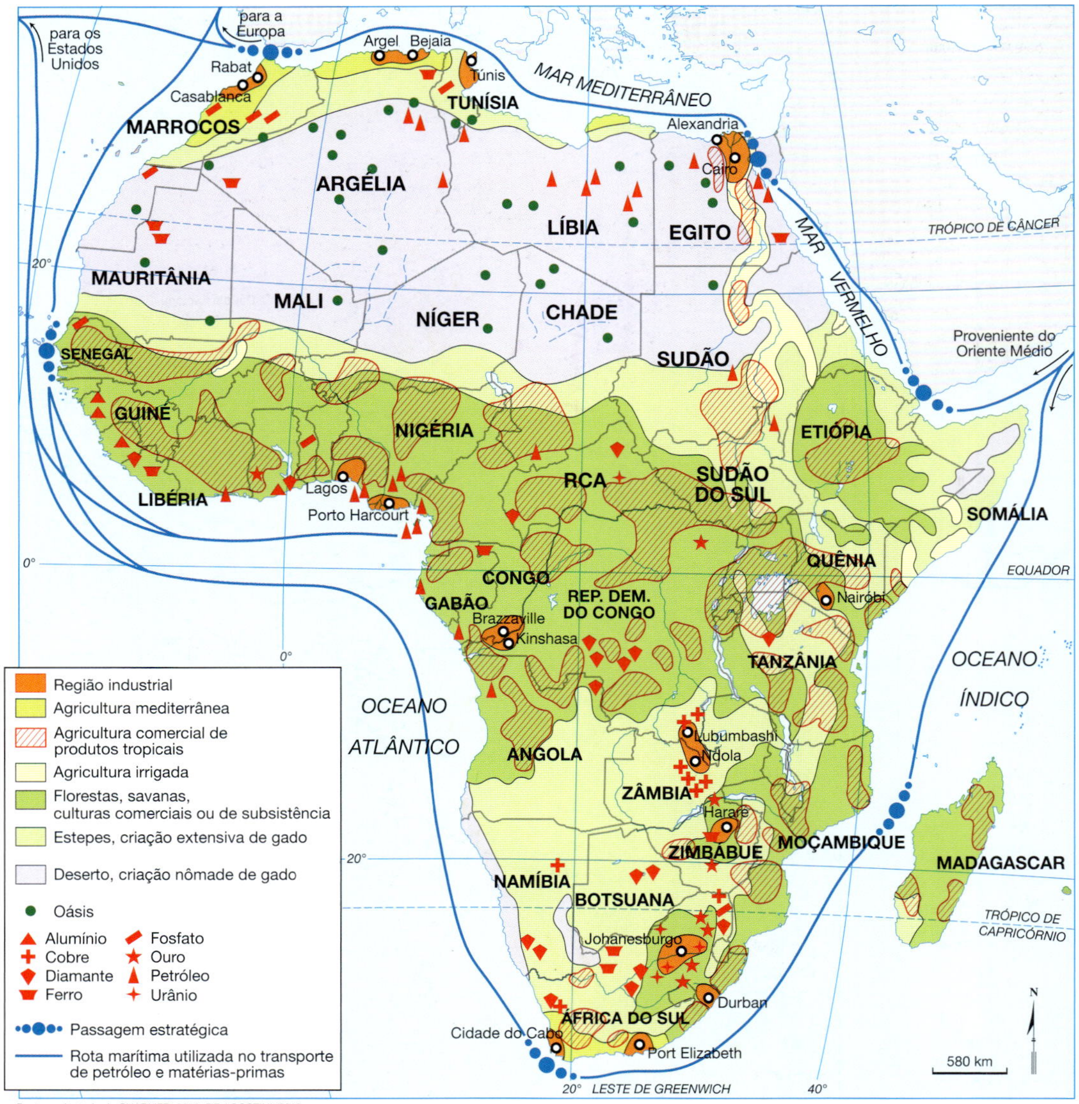

Fontes: adaptado de CHARLIER, 2010; DE AGOSTINI, 2010.

POPULAÇÃO

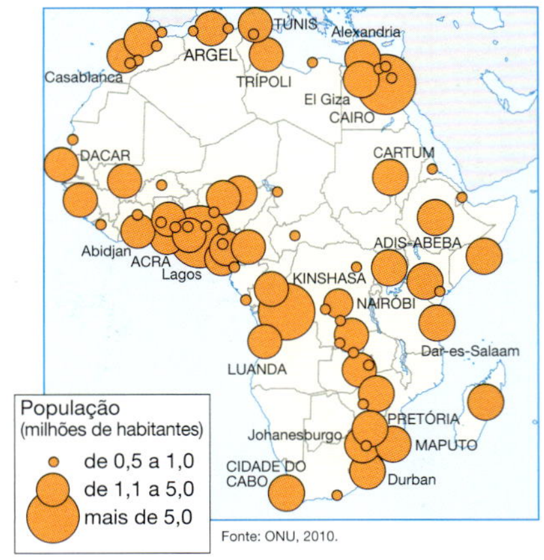

Fonte: ONU, 2010.

INVESTIMENTO ESTRANGEIRO (IDE)

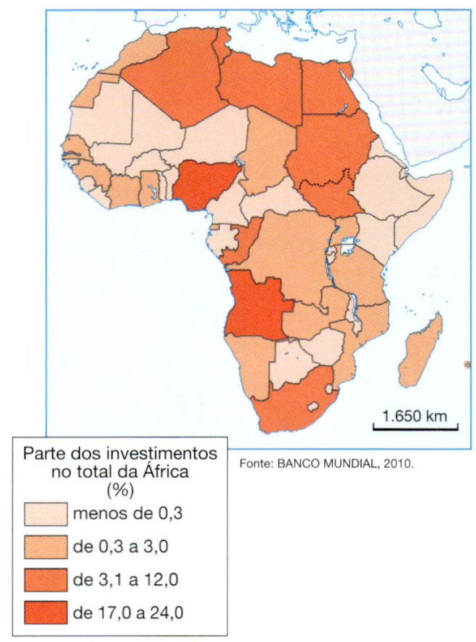

Fonte: BANCO MUNDIAL, 2010.

FOME E CONFLITOS

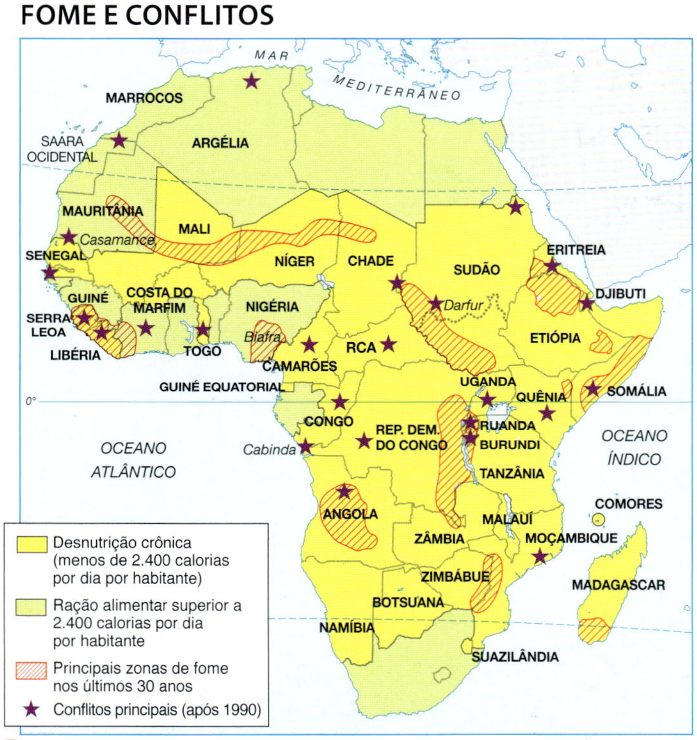

Fontes: DE AGOSTINI, 2009; *L'ÉTAT DU MONDE*, 2009.

REFUGIADOS

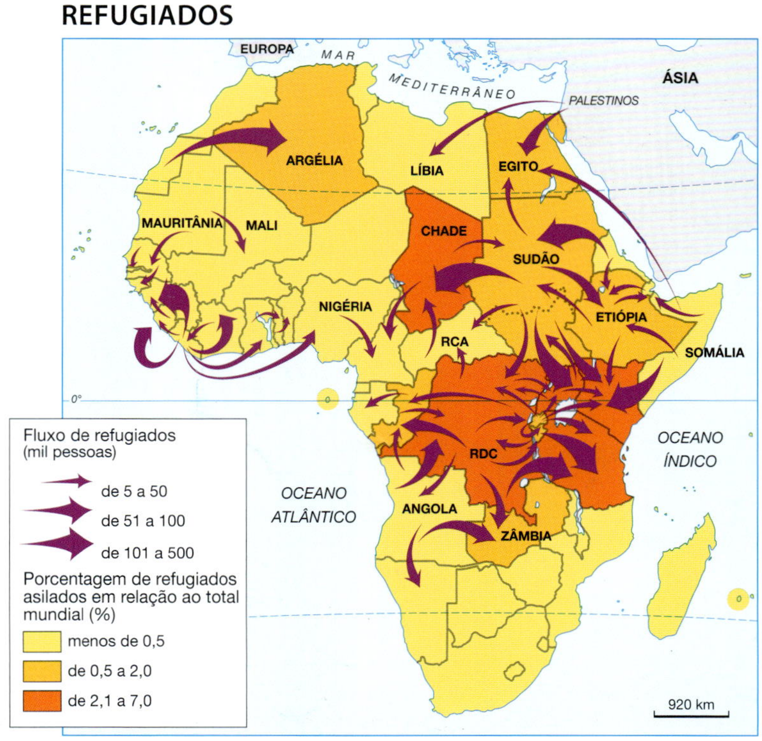

Fonte: UNHCR, 2010.

PRODUTO INTERNO BRUTO

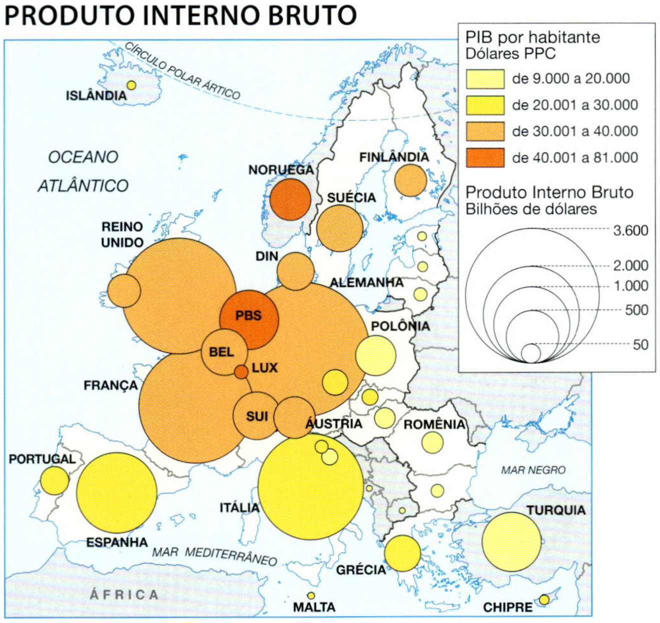

Fonte: BANCO MUNDIAL, 2010.

ORGANIZAÇÃO DO ESPAÇO

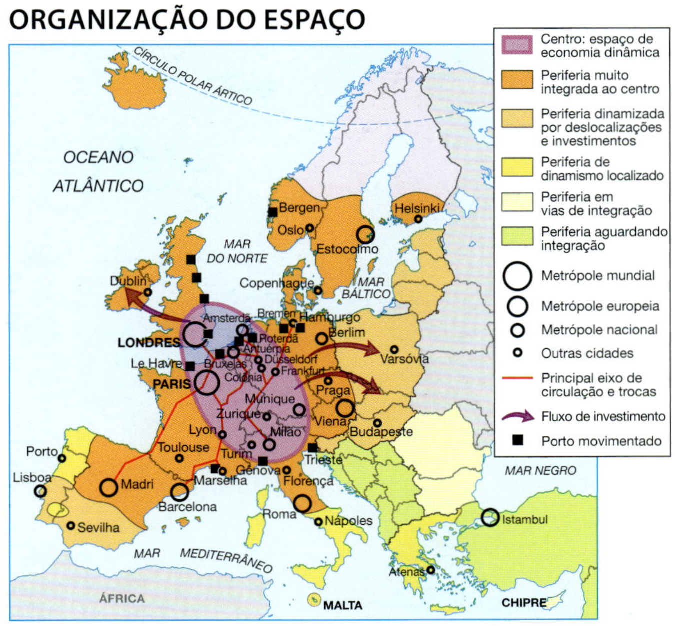

Fonte: KNAFOU, 2008.

UNIÃO EUROPEIA EVOLUÇÃO

*Em 1990 a Alemanha Oriental integra-se à União Europeia.

Fonte: UE, 2011.

IMIGRAÇÃO

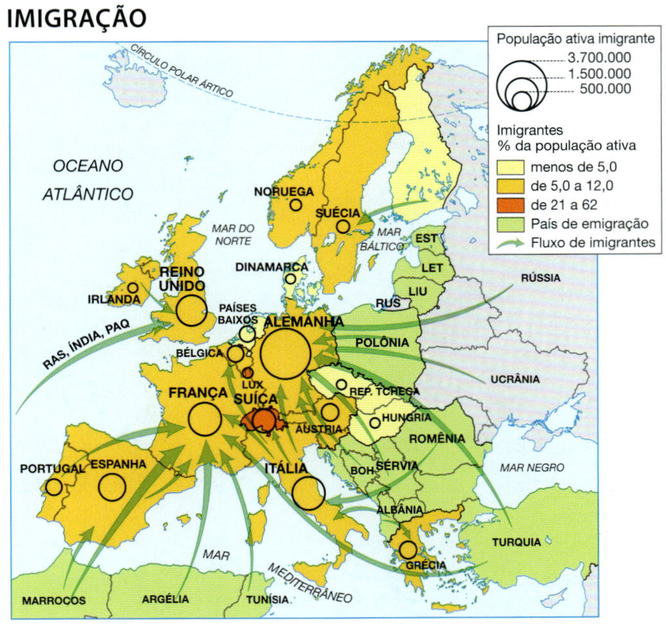

Fontes: KNAFOU, 2008; CHARLIER, 2010.

UNIÃO EUROPEIA ZONA DO EURO

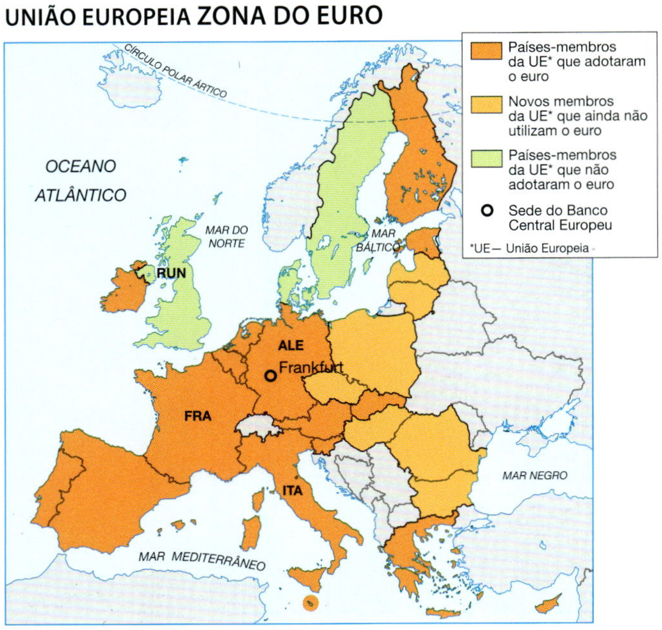

Fonte: DE AGOSTINI, 2010.

ESPAÇO SCHENGEN

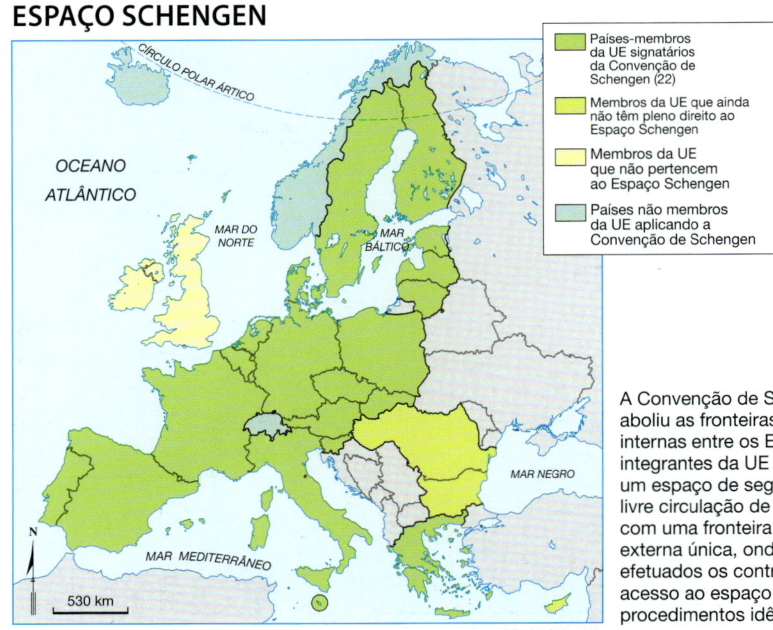

Fonte: DE AGOSTINI, 2010.

A Convenção de Schengen aboliu as fronteiras internas entre os Estados integrantes da UE e criou um espaço de segurança e livre circulação de pessoas, com uma fronteira externa única, onde são efetuados os controles de acesso ao espaço com procedimentos idênticos.

RÚSSIA ORGANIZAÇÃO DO ESPAÇO

Fonte: KNAFOU, 2008.

JAPÃO MEGALÓPOLE E INDÚSTRIA

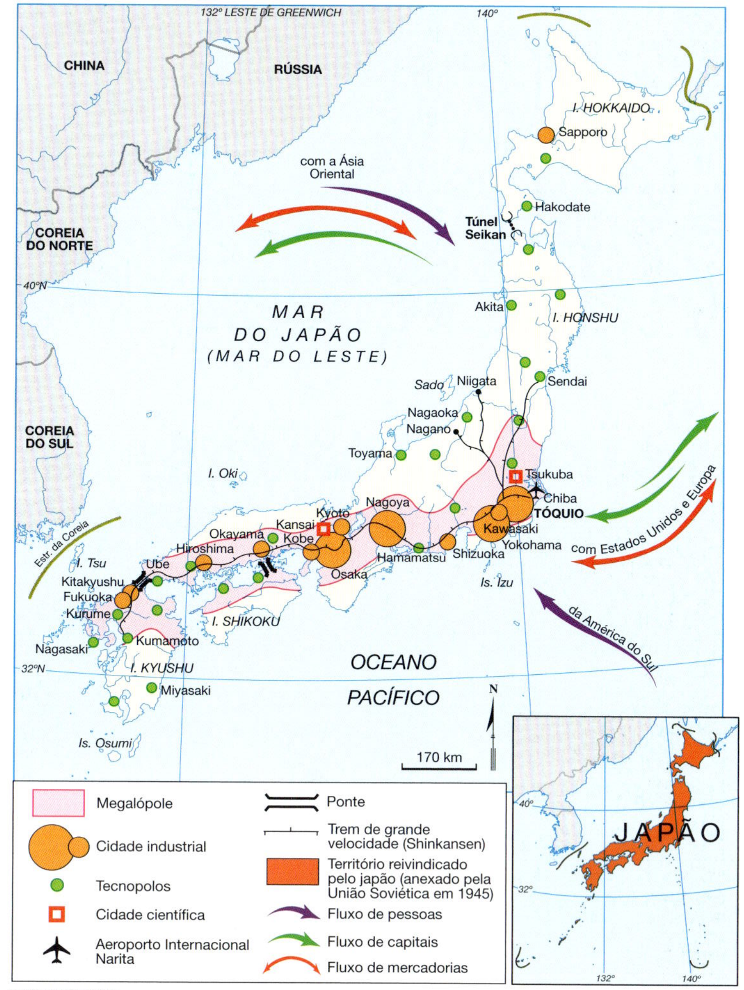

Fonte: KNAFOU, 2008.

CHINA DINAMISMO ECONÔMICO

Fontes: KNAFOU, 2008; CHARLIER, 2010.

ASEAN — Associação das Nações do Sudeste Asiático

CHINA PARCEIROS COMERCIAIS

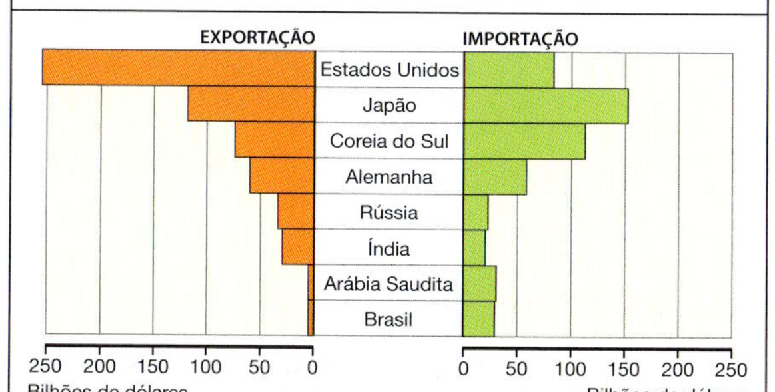

Fonte: DE AGOSTINI, 2010.

JAPÃO COMÉRCIO EXTERIOR

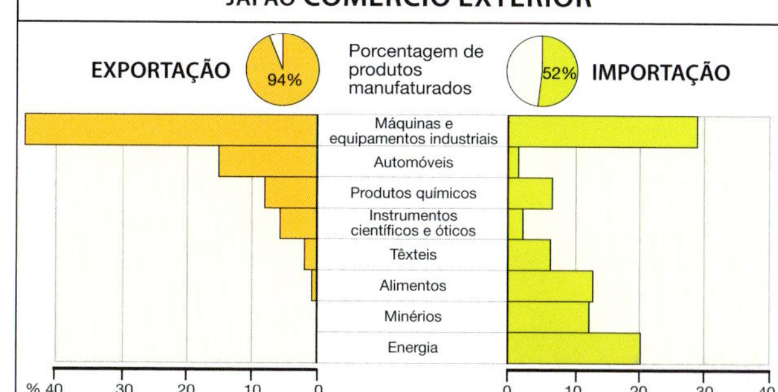

Fonte: JAPAN EXTERNAL TRADE ORGANIZATION, 2011.

BACIA DO PACÍFICO PRODUTO INTERNO BRUTO

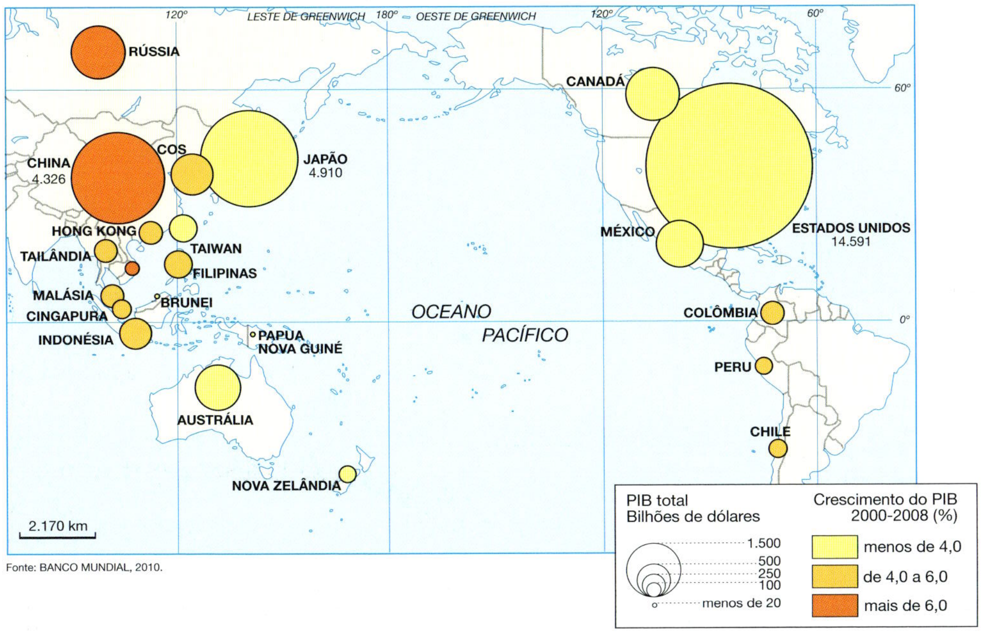

Fonte: BANCO MUNDIAL, 2010.

ÍNDIA FRONTEIRAS CONTESTADAS E TENSÕES

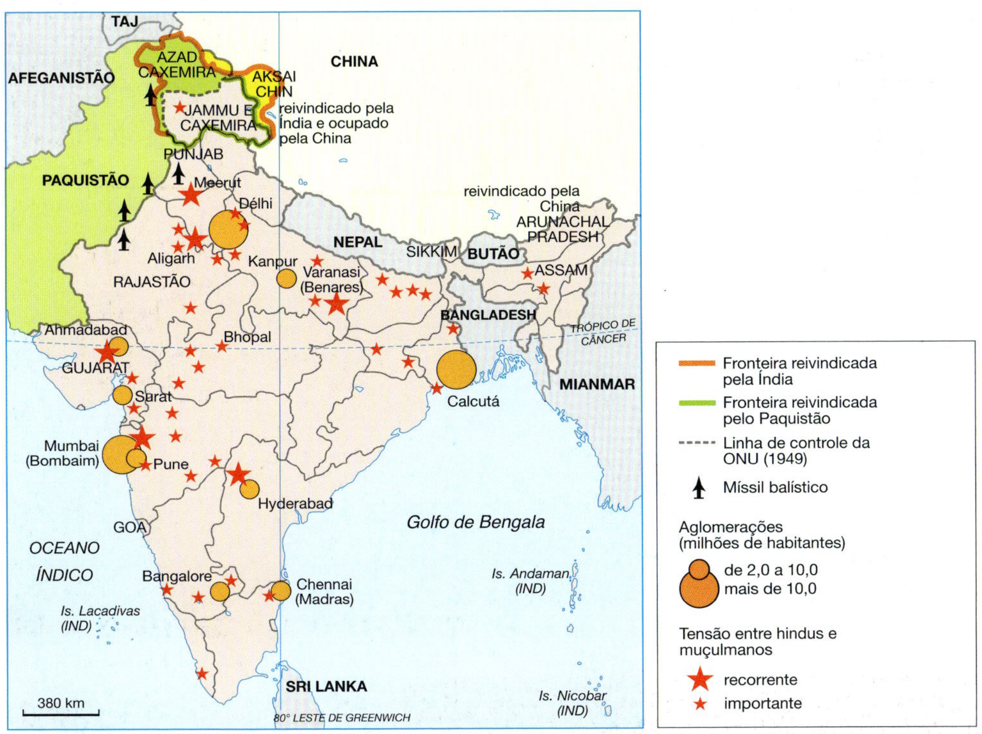

Fontes: adaptado de LACOSTE, 2006; CHARLIER, 2010; DE AGOSTINI, 2010.

ORIENTE MÉDIO PETRÓLEO

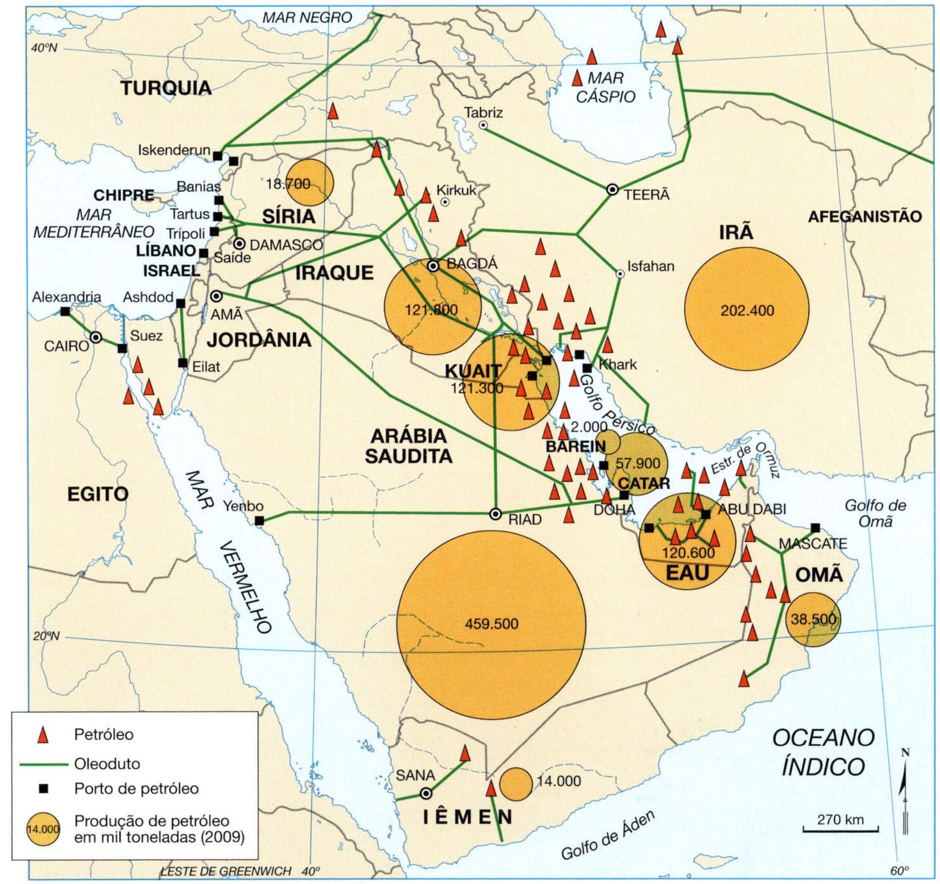

Fontes: BP, 2010; adaptado de LE MONDE DIPLOMATIQUE, 2006, 2009.

PALESTINA

ISRAEL

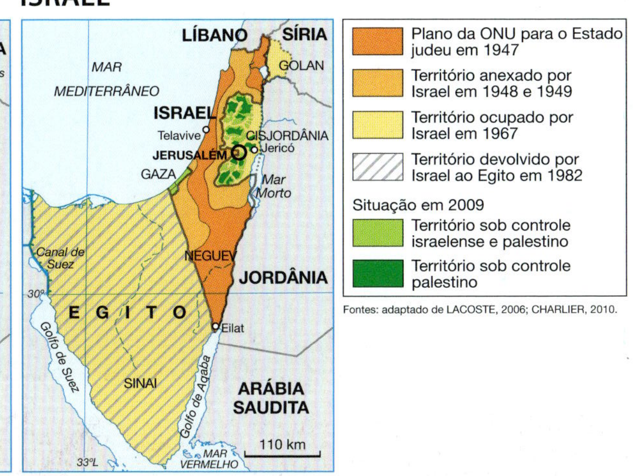

Fontes: adaptado de LACOSTE, 2006; CHARLIER, 2010.

GRANDES MONTANHAS

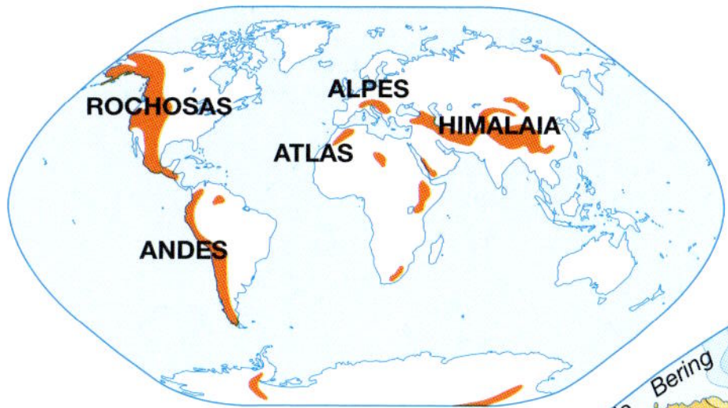

ESCALA 1 : 148.000.000

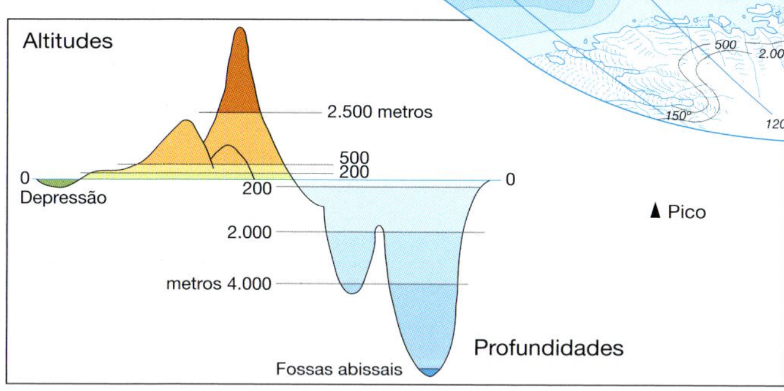

FABIO COLOMBINI

Planície do Pantanal, Brasil.

FABIO COLOMBINI

Morros da Serra da Mantiqueira, Brasil.

FRANCK GUIZIOUT/HEMIS/CORBIS/LATINSTOCK

Cordilheira do Himalaia, Nepal.

PLACAS TECTÔNICAS

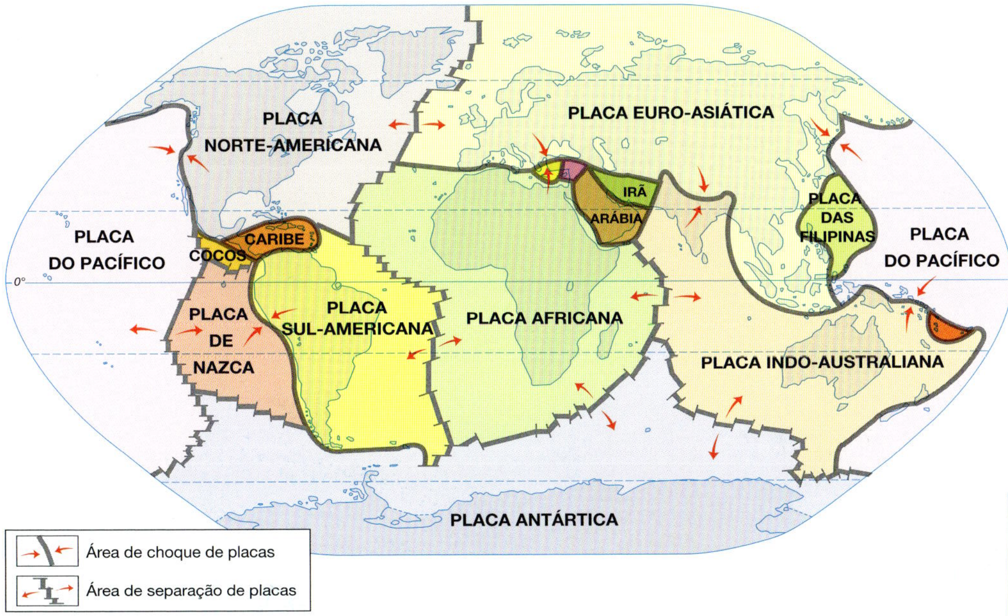

ESTRUTURA GEOLÓGICA

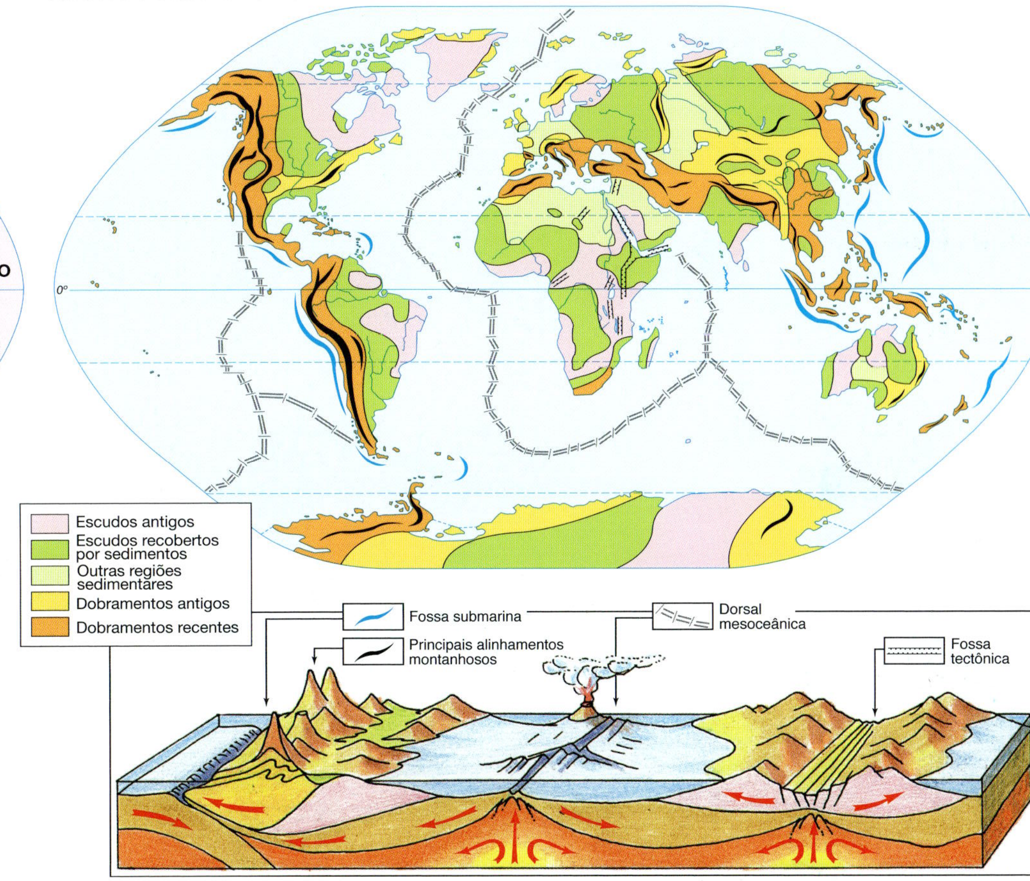

ZONAS SÍSMICAS E VULCÕES

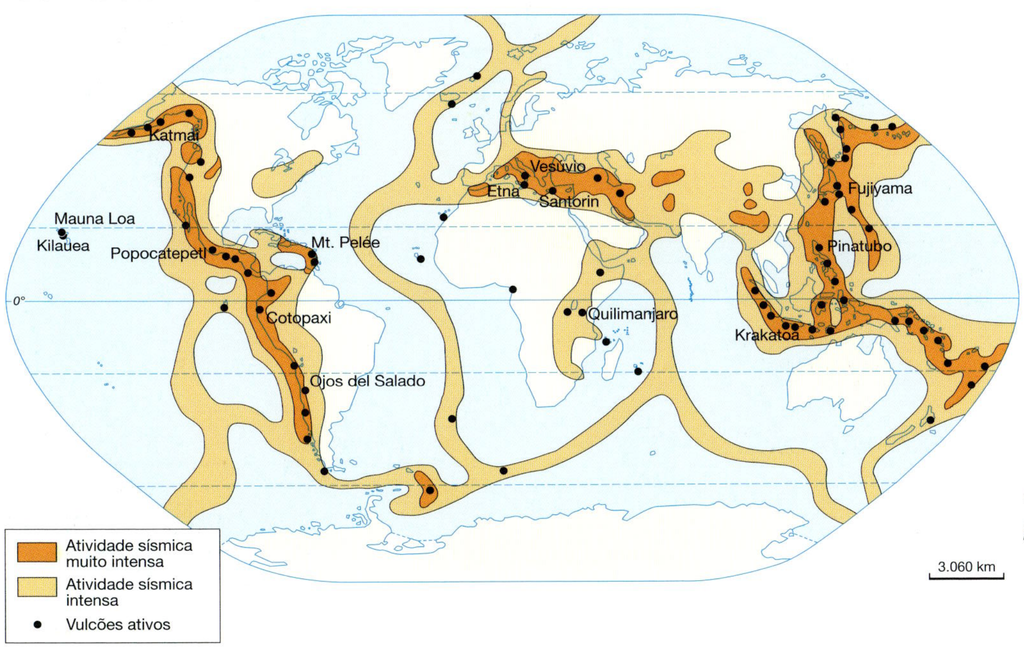

JULIO DONOSO/SYGMA/CORBIS/LATINSTOCK

DOBRA, País Basco, França.

DAVID PARKER/SPL/LATINSTOCK

FALHA San Andreas, Califórnia, Estados Unidos.

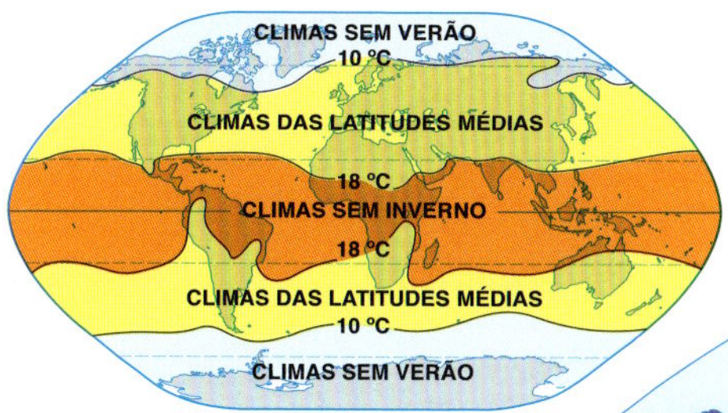

ZONAS CLIMÁTICAS

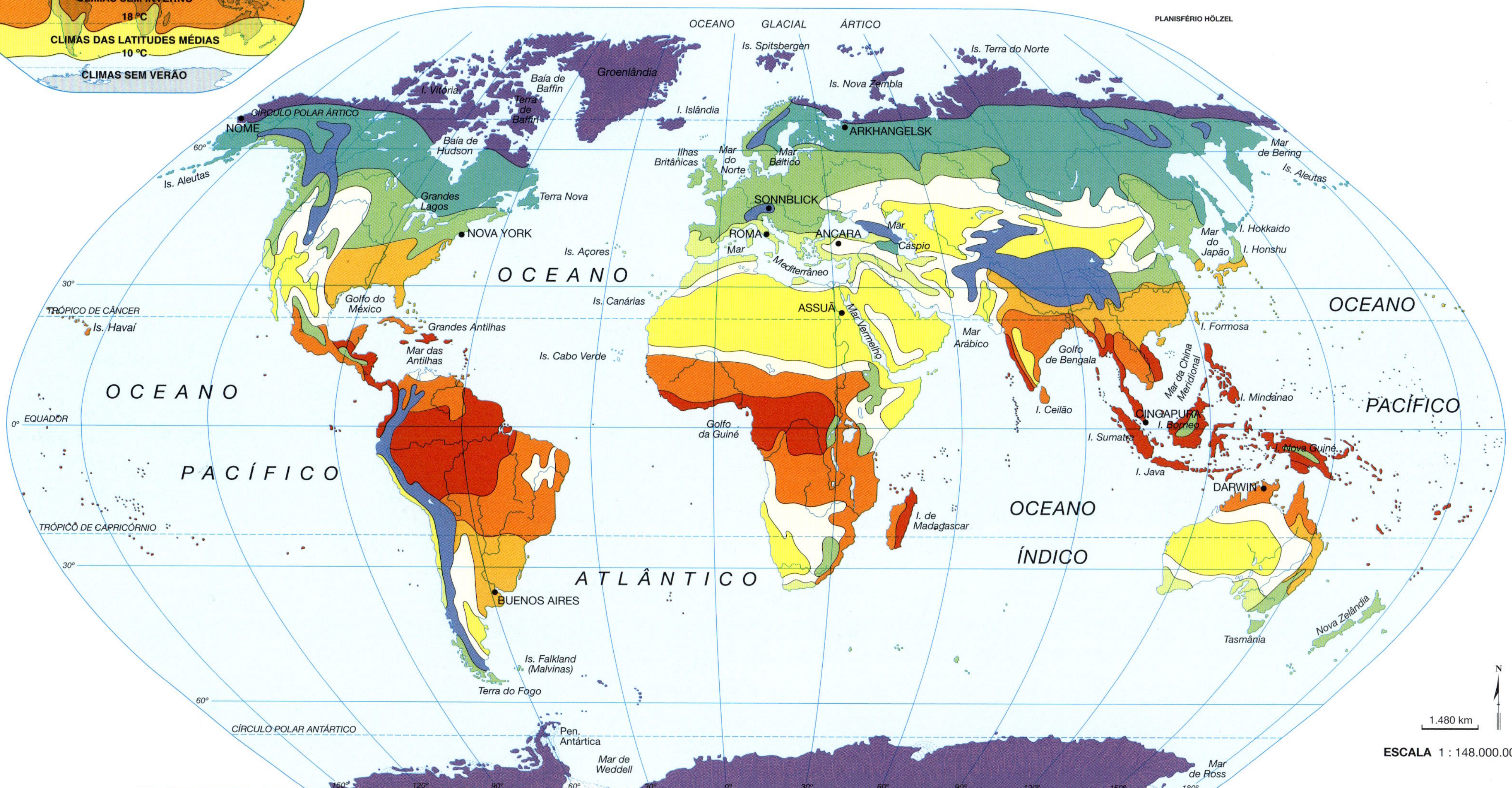

ESCALA 1 : 148.000.000

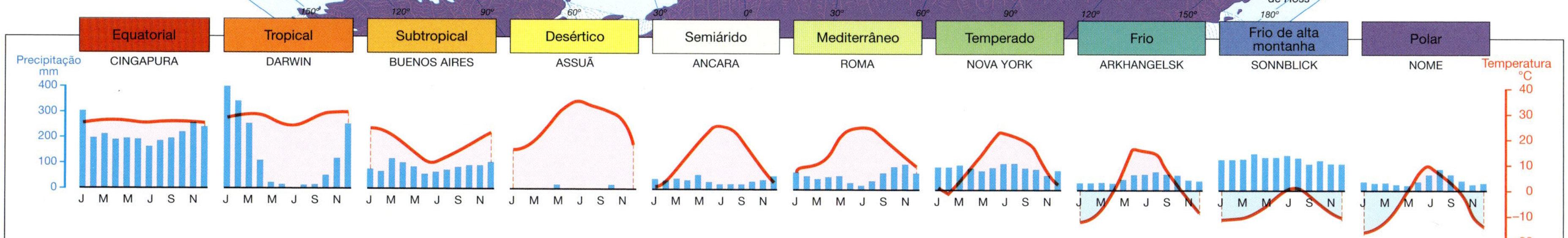

Fontes: LACOSTE, 2006; CHARLIER, 2010.

PAÍSES MAIS POPULOSOS

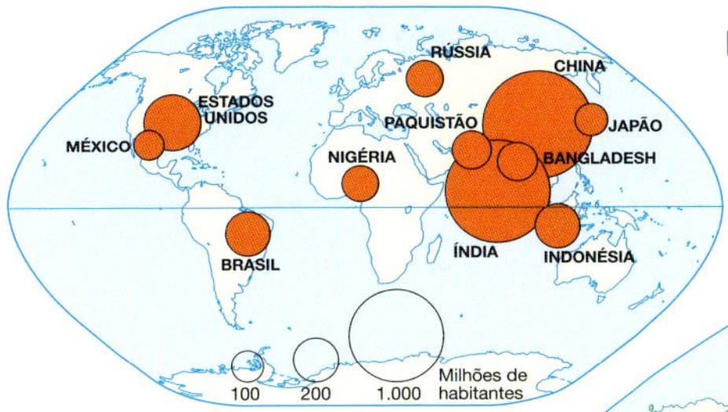

Fonte: BANCO MUNDIAL, 2010.

Fontes: CHARLIER, 2010; NATIONAL GEOGRAPHIC, 2010.

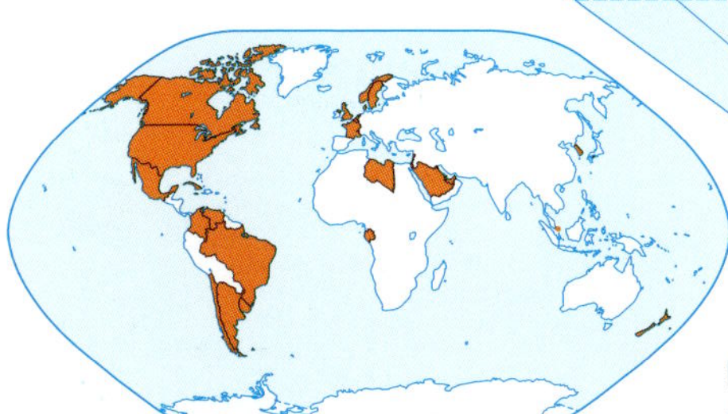

POPULAÇÃO URBANA
(MAIS DE 75%)

Fonte: BANCO MUNDIAL, 2010.

MARTIN HARVEY/CORBIS/LATINSTOCK

Saara, Marrocos.

WALTER BIBIKOW/TAXI/GETTY IMAGES

Xangai, China.

Densidade demográfica
Habitantes por km²

- Menos de 1
- 1 – 10
- 10 – 50
- 50 – 200
- Mais de 200

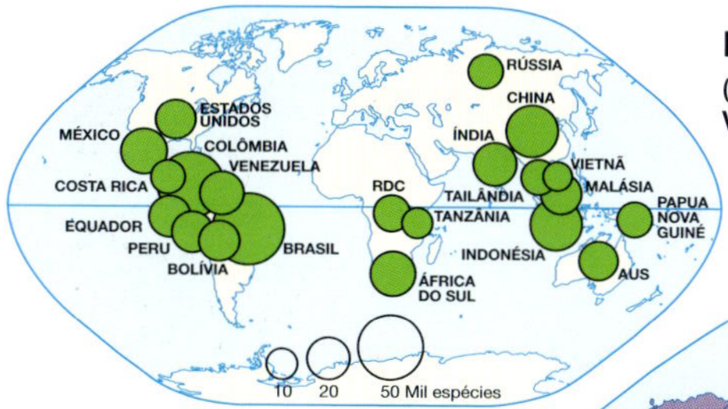

Fonte: BANCO MUNDIAL, 2010.

Fontes: CHARLIER, 2010; NATIONAL GEOGRAPHIC, 2010.

JACQUES JANGOUX/PHOTO RESEARCHERS/LATINSTOCK

Floresta tropical, no Gabão.

JEAN-PIERRE LESCOURRET/CORBIS/LATINSTOCK

Floresta temperada, em Vermont, Estados Unidos.

BARRETT & MACKAY/ALL CANADA PHOTOS/CORBIS/LATINSTOCK

Taiga, no Peter Lougheed Provincial Park, Canadá.

BLAINE HARRINGTON III/CORBIS/LATINSTOCK

Savana, no Serengeti National Park, Tanzânia.

FABERFOTO/SHUTTERSTOCK

Vegetação mediterrânea, na Ilha Caprera, Itália.

DAVID FORMAN/IMAGE SOURCE/AFP

Estepe e criação de gado, na Mongólia.

ASHLEY COOPER/CORBIS/LATINSTOCK

Tundra, no Skaftafell National Park, Islândia.

MALI TESSLER

Deserto do Atacama, no Chile.

FRANK LUKASSECK/CORBIS/LATINSTOCK

Mont Blanc e vegetação de altitude, na França.

PLANISFÉRIO AGROPECUÁRIA

GRANDES EXPORTADORES DE CEREAIS

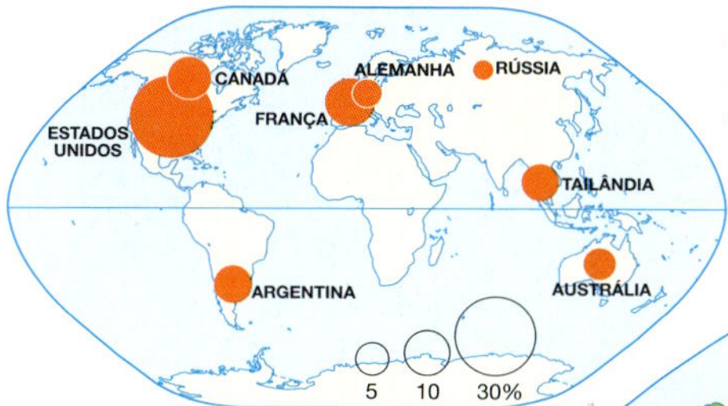

Fonte: FAO, 2010.

Fonte: CHARLIER, 2010.

Agricultura comercial de produtos tropicais

JOHN COLETTI/JAI/CORBIS/LATINSTOCK

Agricultura e criação de gado

FRANCK GUIZIOU/HEMIS.FR/AFP

Agricultura comercial de cereais

TOM BEAN/CORBIS/LATINSTOCK

Agricultura mediterrânea

JON BOYES/SPACES IMAGES/CORBIS/LATINSTOCK

Agricultura intensiva de subsistência

REUTERS/LATINSTOCK

Agricultura primitiva de subsistência

NIGEL PAVITT/JAI/CORBIS/LATINSTOCK

Criação intensiva de gado (leiteiro)

JAMES P. BLAIR/CORBIS/LATINSTOCK

Criação extensiva de gado (de corte)

R-P/KINO

Criação nômade de gado (pastoreio)

FREDERIC J. BROWN/AFP/GETTY IMAGES

PLANISFÉRIO RECURSOS MINERAIS E INDÚSTRIA

REGIÕES INDUSTRIAIS

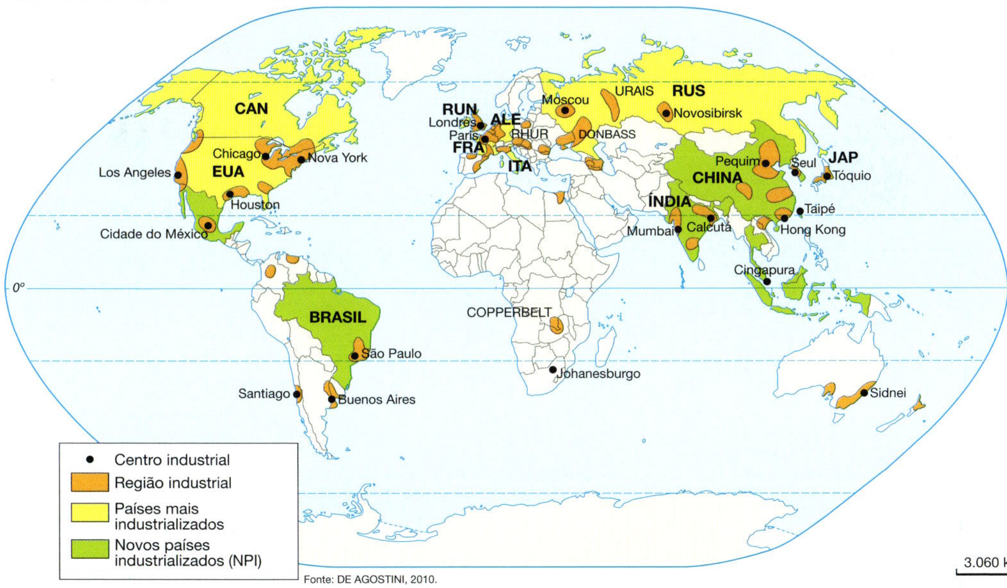

Fonte: DE AGOSTINI, 2010.

3.060 km

COMÉRCIO DE PETRÓLEO

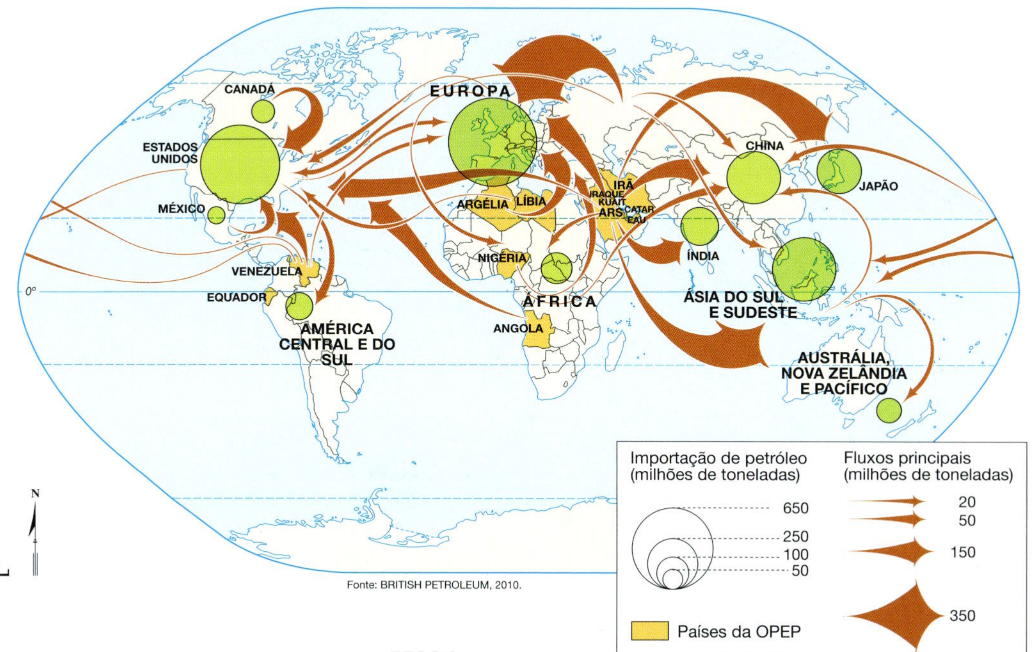

Fonte: BRITISH PETROLEUM, 2010.

BAUXITA (ALUMÍNIO)

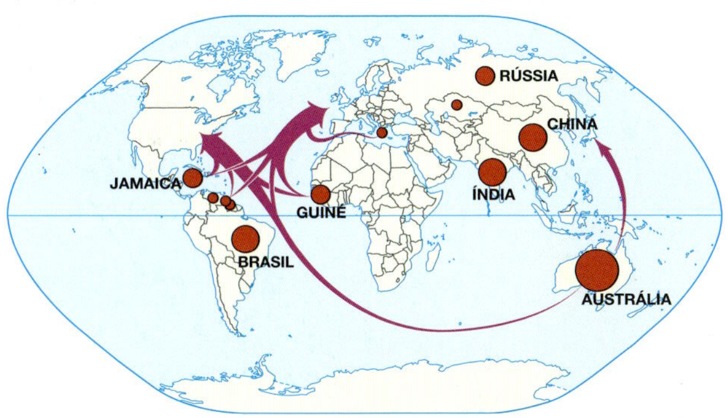

COBRE

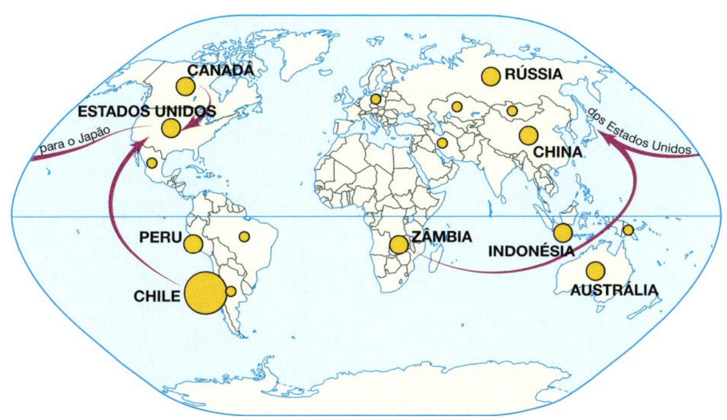

FERRO

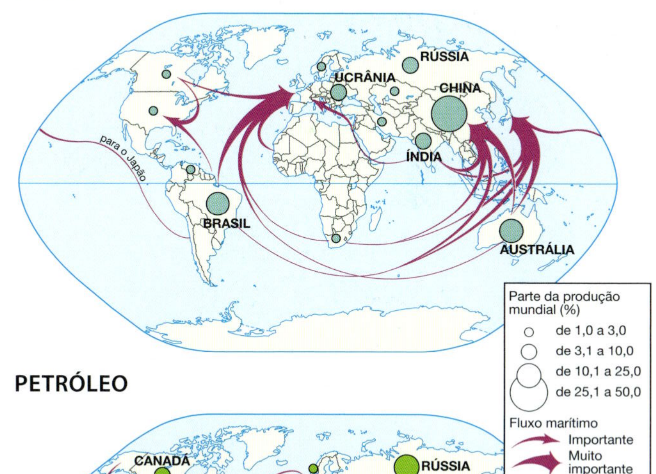

CARVÃO MINERAL

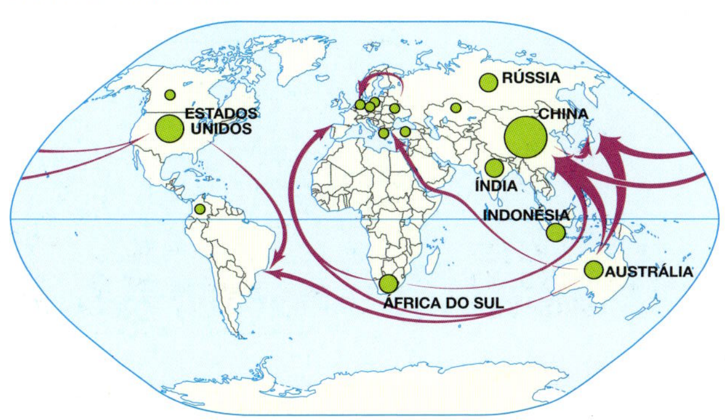

GÁS NATURAL

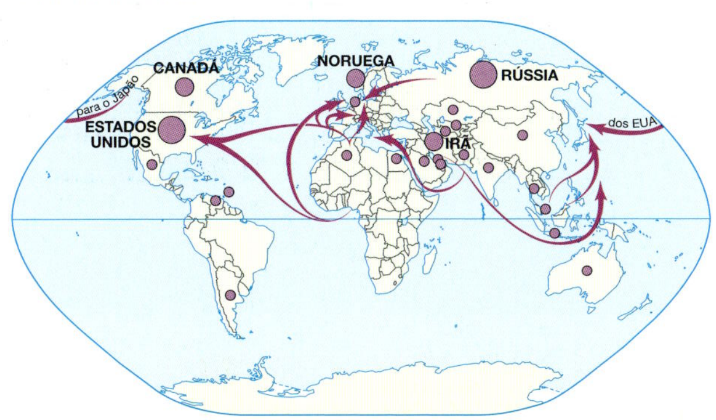

PETRÓLEO

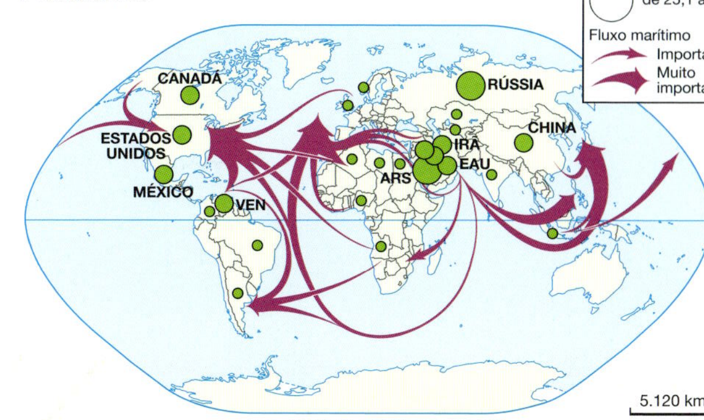

5.120 km

Fontes: CHARLIER, 2010; DE AGOSTINI, 2010.

ÍNDICE DE DESENVOLVIMENTO HUMANO (IDH)

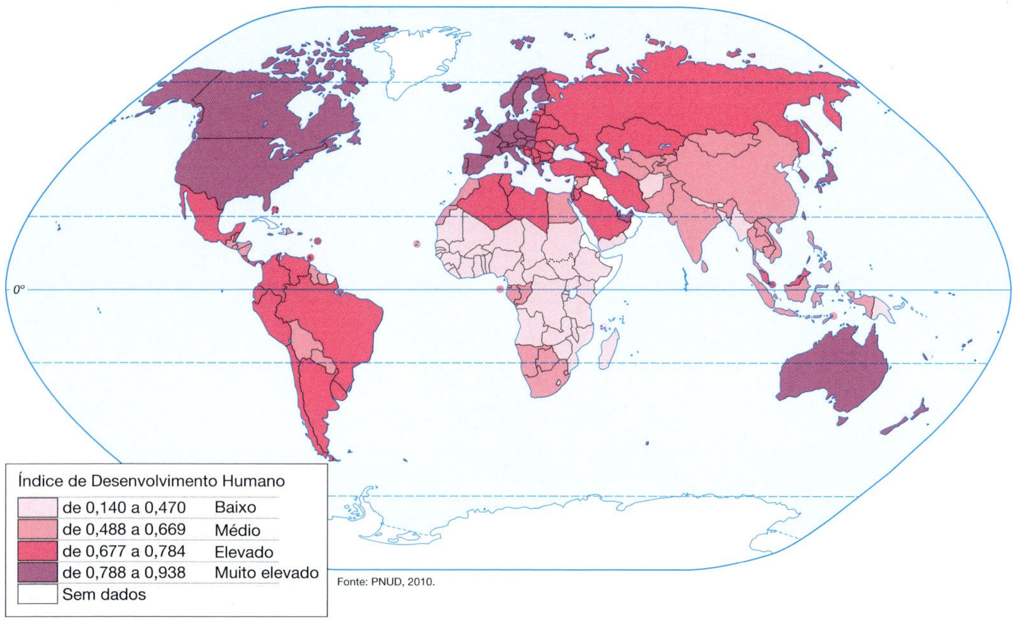

Fonte: PNUD, 2010.

MORTALIDADE INFANTIL

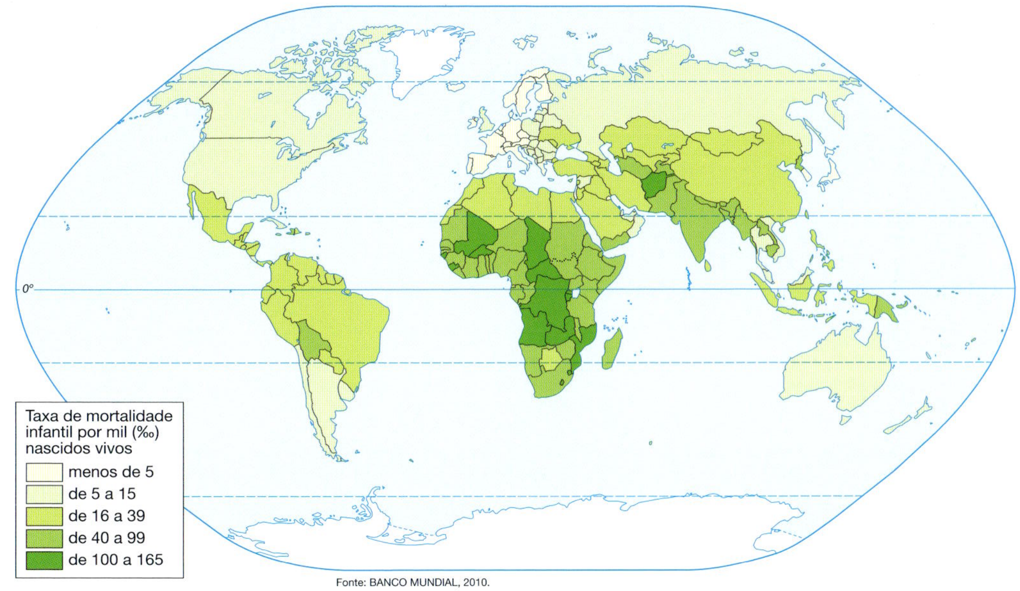

Fonte: BANCO MUNDIAL, 2010.

FOME E COMÉRCIO DE ALIMENTOS

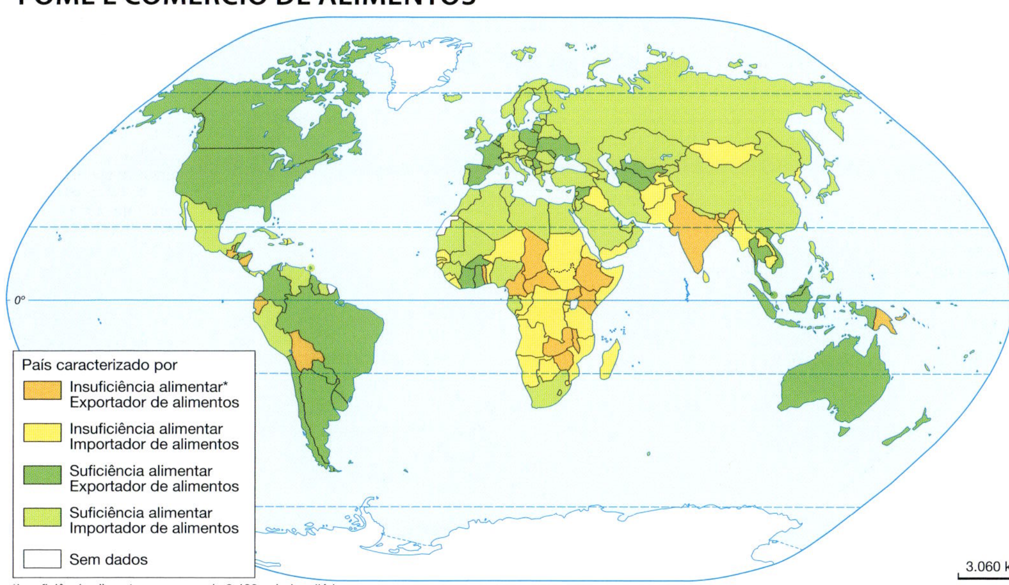

*Insuficiência alimentar — menos de 2.400 calorias diárias.

Fontes: FAO, 2010; BANCO MUNDIAL, 2010.

N

3.060 km

ESPERANÇA DE VIDA AO NASCER

PAÍSES ABAIXO DA MÉDIA MUNDIAL (69 ANOS)

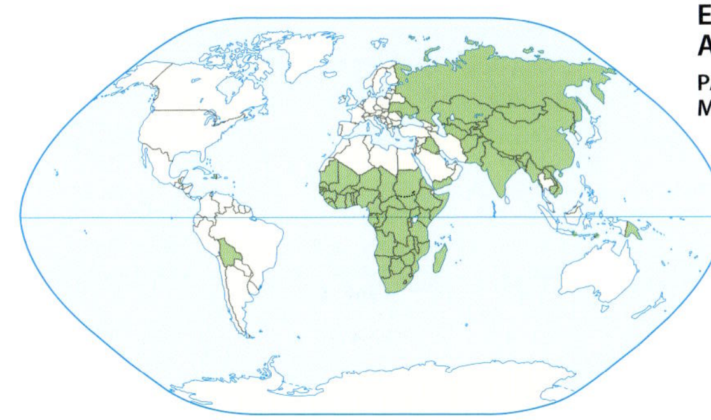

Fonte: BANCO MUNDIAL, 2010.

POBREZA

MAIS DE 50% DA POPULAÇÃO VIVE COM MENOS DE 2 DÓLARES POR DIA

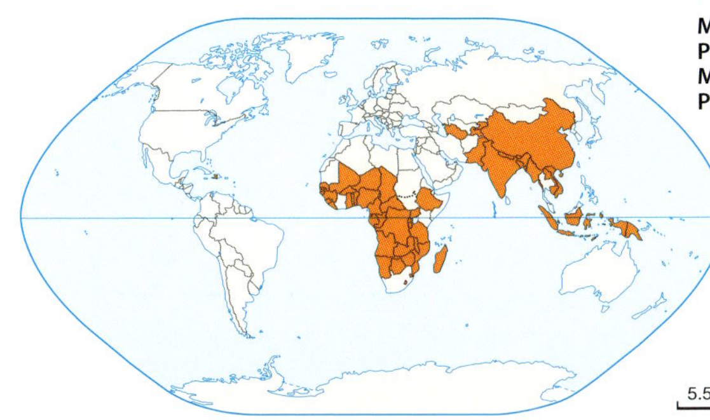

5.540 km

Fonte: BANCO MUNDIAL, 2010.

RECURSOS EM ÁGUA

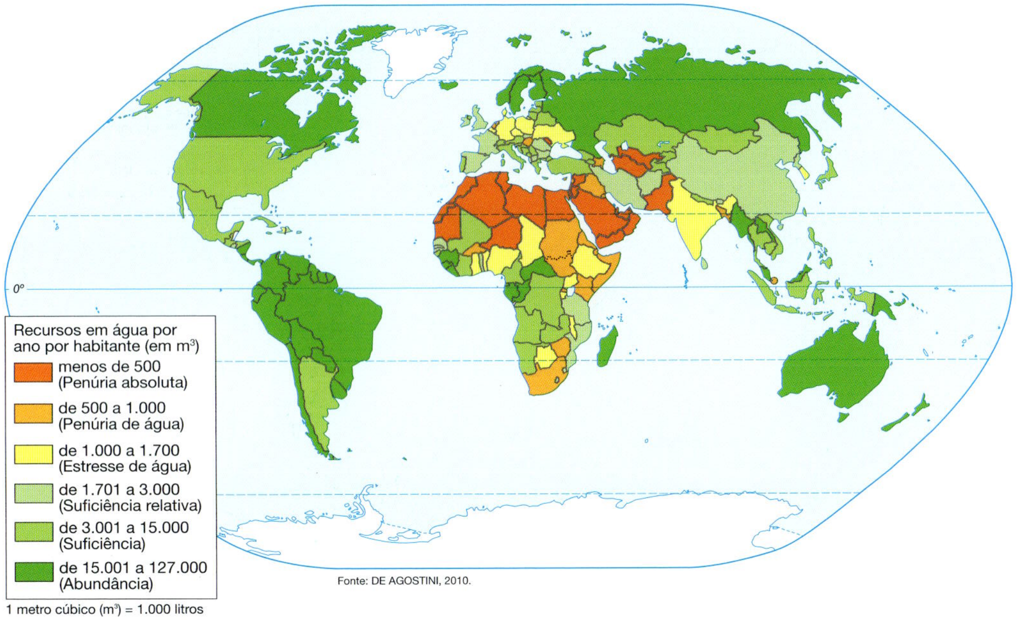

Fonte: DE AGOSTINI, 2010.

DESERTIFICAÇÃO

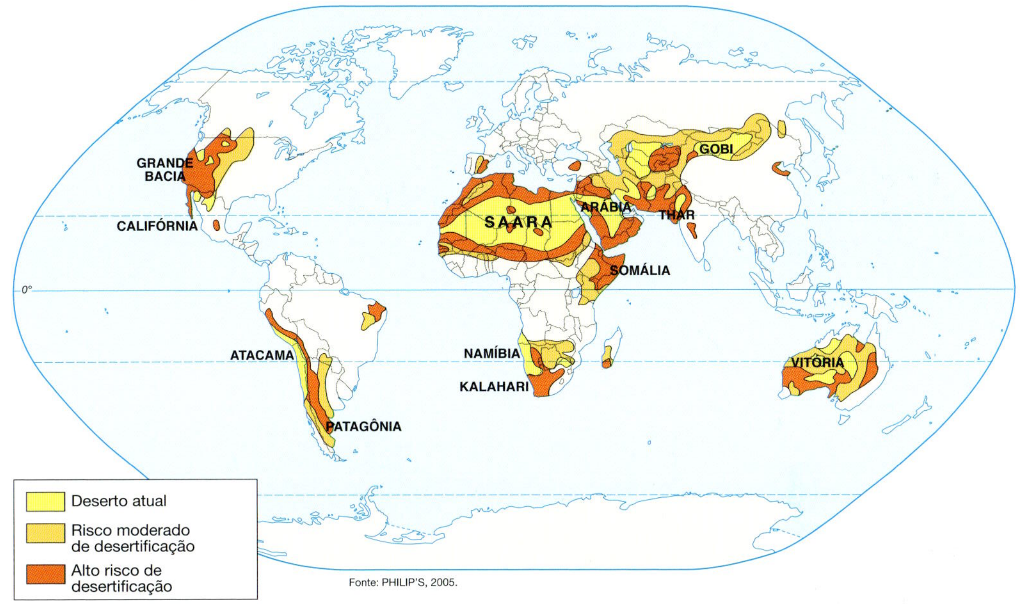

Fonte: PHILIP'S, 2005.

EMISSÕES DE DIÓXIDO DE CARBONO (CO_2)

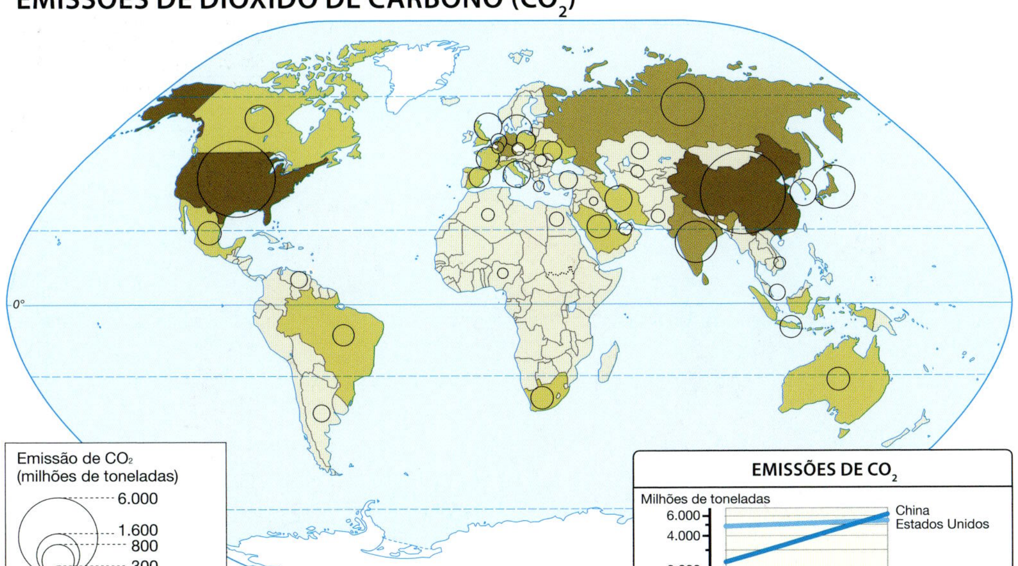

Fonte: BANCO MUNDIAL, 2010.

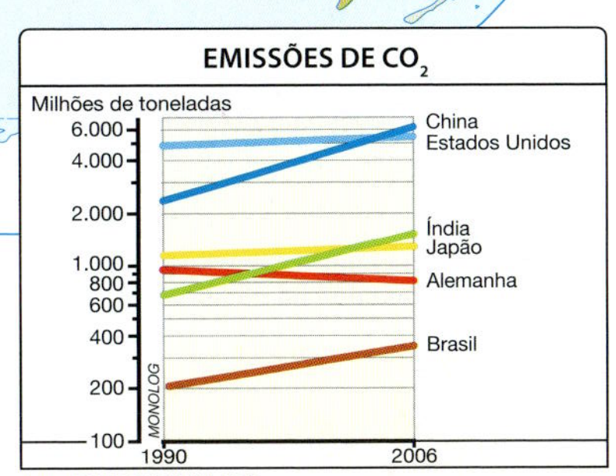

Fonte: BANCO MUNDIAL, 2010.

DESMATAMENTO

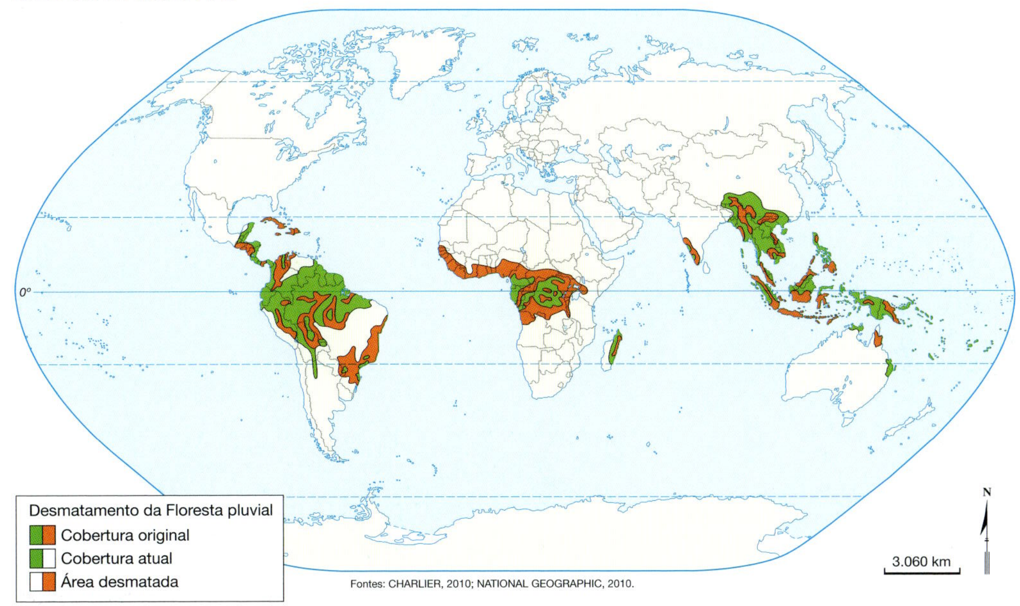

Fontes: CHARLIER, 2010; NATIONAL GEOGRAPHIC, 2010.

PLANISFÉRIO ORGANIZAÇÕES INTERNACIONAIS

BLOCOS COMERCIAIS

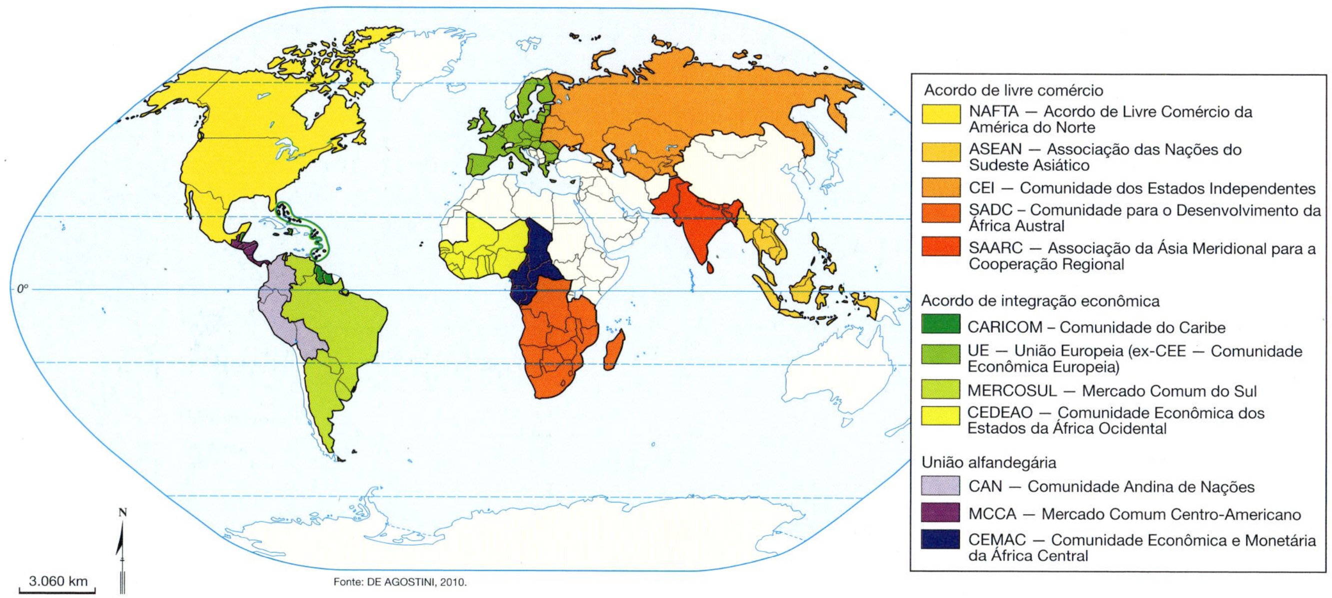

Fonte: DE AGOSTINI, 2010.

NAFTA

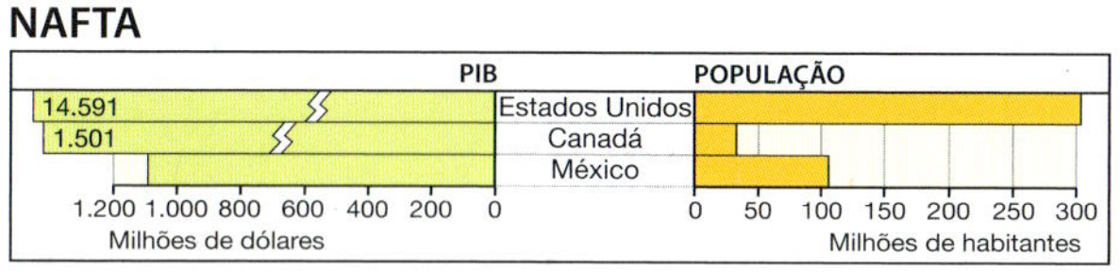

MERCOSUL

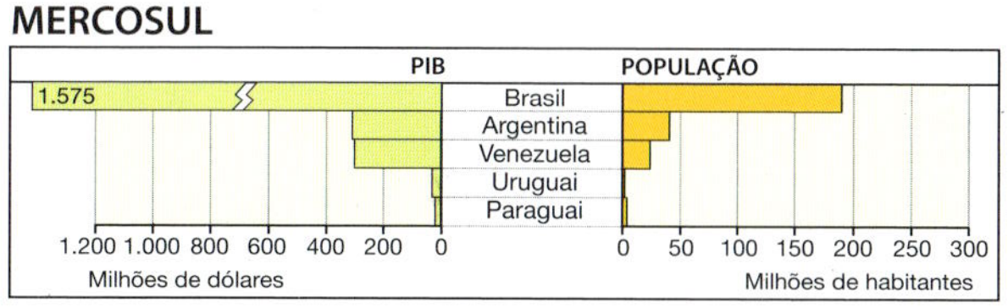

ASEAN

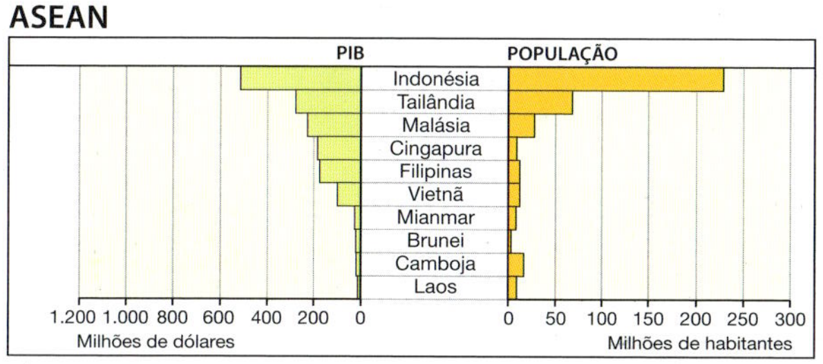

UNIÃO EUROPEIA

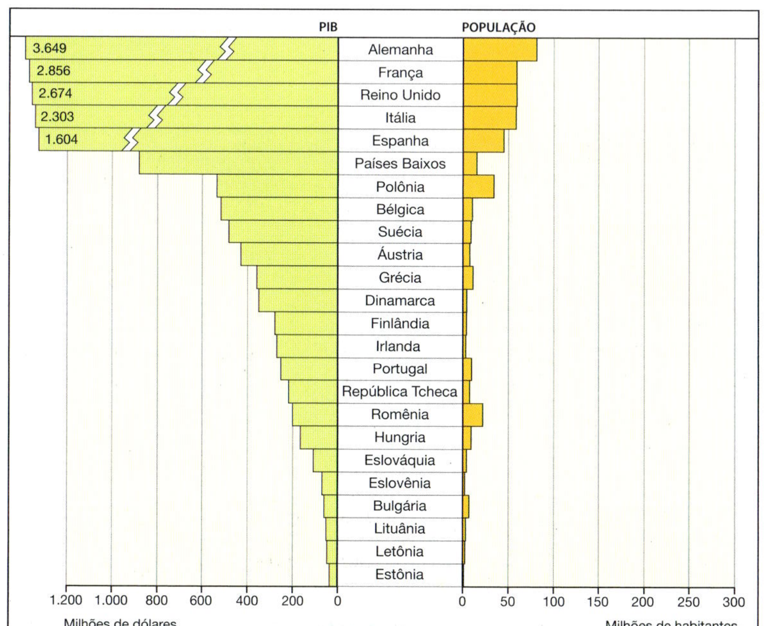

Fontes: BANCO MUNDIAL, 2010; PNUD, 2010.

OMC

PAÍSES-MEMBROS DA ORGANIZAÇÃO MUNDIAL DO COMÉRCIO

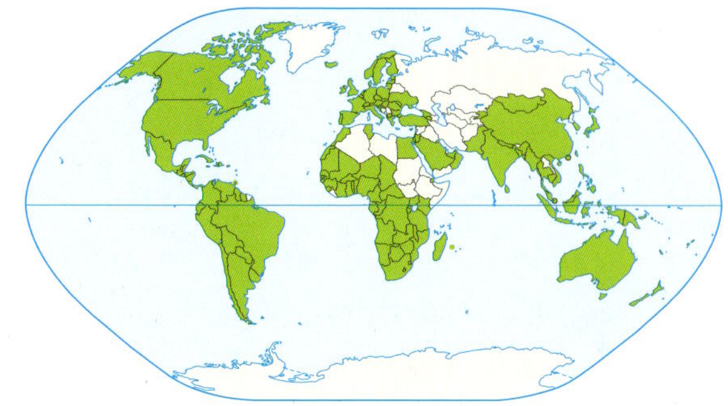

Fonte: OMC, 2011.

APEC

COOPERAÇÃO ECONÔMICA ÁSIA-PACÍFICO

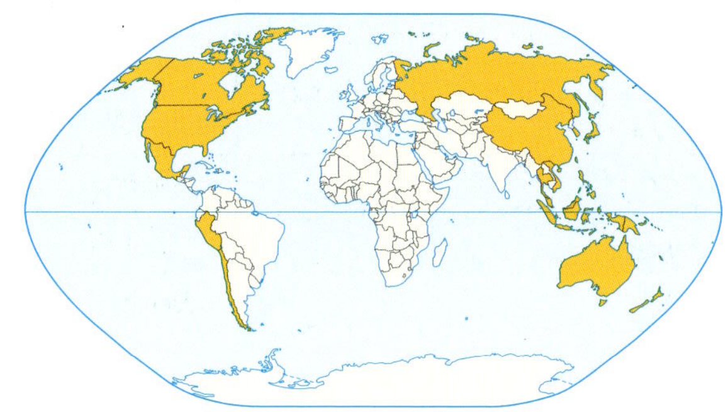

Fonte: APEC, 2011.

G-20

GRUPO DOS VINTE

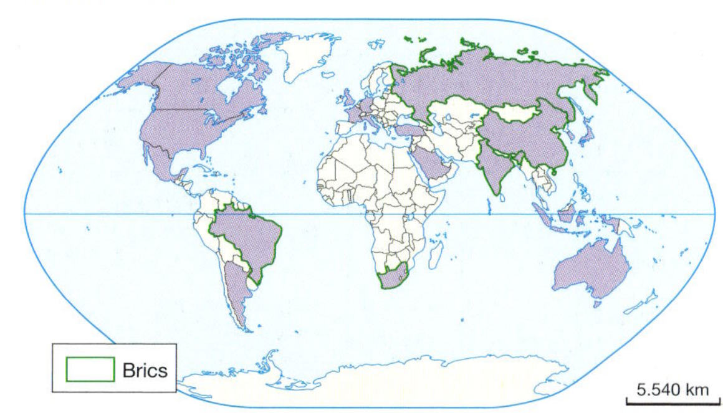

Fonte: DE AGOSTINI, 2010.

LOCALIZAÇÃO GEOGRÁFICA	BANDEIRA	ESTADO Capital	POPULAÇÃO[1] / SUPERFÍCIE[2] (km²)	PIB[3] *per capita* R$	EXPEC. DE VIDA[4] (anos)	ALFABETIZAÇÃO[4] (%)	IDH[5] / Posição
		ACRE Rio Branco	707.125 / 164.165,254	9.896	72,0	86,2	0,751 / 17º
		ALAGOAS Maceió	3.350.773 / 27.767,661	6.227	67,6	74,3	0,677 / 27º
		AMAPÁ Macapá	648.553 / 142.814,585	11.032	71,0	95,9	0,780 / 13º
		AMAZONAS Manaus	3.350.773 / 1.559.161,814	14.014	72,2	91,7	0,780 / 12º
		BAHIA Salvador	13.633.969 / 564.692,669	8.378	72,6	82,7	0,742 / 19º
		CEARÁ Fortaleza	8.180.087 / 148.825,602	7.111	71,0	80,9	0,723 / 22º
		ESPÍRITO SANTO Vitória	3.392.775 / 46.077,519	20.230	74,3	91,2	0,802 / 7º
		GOIÁS Goiânia	5.849.105 / 340.086,698	12.878	73,9	90,7	0,800 / 10º
		MARANHÃO São Luís	6.424.340 / 331.983,293	6.103	68,4	80,5	0,683 / 26º
		MATO GROSSO Cuiabá	2.954.625 / 903.357,908	17.927	73,7	90,4	0,796 / 11º
		MATO GROSSO DO SUL Campo Grande	2.404.256 / 357.124,962	14.188	74,3	91,9	0,802 / 8º
		MINAS GERAIS Belo Horizonte	19.159.260 / 586.528,293	14.232	75,1	91,4	0,800 / 9º
		PARÁ Belém	7.443.904 / 1.247.689,515	7.992	72,5	88,1	0,755 / 16º
		PARAÍBA João Pessoa	3.753.633 / 56.439,838	6.865	69,8	76,5	0,718 / 24º
		PARANÁ Curitiba	10.266.737 / 199.314,850	16.927	74,7	93,4	0,820 / 6º
		PERNAMBUCO Recife	8.541.250 / 98.311,616	8.064	69,1	82,1	0,718 / 23º
		PIAUÍ Teresina	3.086.448 / 251.529,186	5.372	69,7	75,7	0,703 / 25º
		RIO DE JANEIRO Rio de Janeiro	15.180.636 / 43.696,054	21.621	73,7	95,6	0,832 / 5º
		RIO GRANDE DO NORTE Natal	3.121.451 / 52.796,791	8.202	71,1	80,0	0,738 / 21º
		RIO GRANDE DO SUL Porto Alegre	10.576.758 / 281.748,538	18.378	75,5	95,0	0,832 / 4º
		RONDÔNIA Porto Velho	1.535.625 / 237.576,167	11.976	71,8	90,8	0,776 / 14º
		RORAIMA Boa Vista	425.398 / 224.298,98	11.844	70,6	90,7	0,750 / 18º
		SANTA CATARINA Florianópolis	6.178.603 / 95.346,181	20.368	75,8	95,6	0,840 / 2º
		SÃO PAULO São Paulo	39.924.091 / 248.209,426	24.456	74,8	95,3	0,833 / 3º
		SERGIPE Aracaju	2.036.277 / 21.910,348	9.778	71,6	83,1	0,742 / 20º
		TOCANTINS Palmas	1.373.551 / 277.620,914	10.223	71,9	85,6	0,756 / 15º
		DISTRITO FEDERAL Brasília	2.469.489 / 5.801,937	45.977	75,8	96,0	0,874 / 1º

Notas:
1. IBGE, 2011. *Sinopse do censo demográfico 2010.*
2. IBGE, 2010. *Anuário Estatístico do Brasil 2009.*
3. IBGE, 2010. *Contas regionais do Brasil 2004-2008.*
4. IBGE, 2010. *Síntese dos indicadores sociais 2010.* (A taxa de alfabetização considera pessoas de 15 anos ou mais de idade.)
5. CEPAL/PNUD/OIT, 2008. *Emprego, desenvolvimento humano e trabalho decente.*

SIGLAS E ABREVIATURAS

Siglas usadas neste atlas

ALE	Alemanha	**CON**	Coreia do Norte	**IND**	Índia	**POR**	Portugal
ARG	Argentina	**COS**	Coreia do Sul	**IRL**	Irlanda	**RAS**	República da África do Sul
ARS	Arábia Saudita	**CRA**	Costa Rica	**ITA**	Itália	**RCA**	República Centro-Africana
AUS	Austrália	**DIN**	Dinamarca	**JAP**	Japão	**RDC**	República Democrática do Congo
AZB	Azerbaijão	**EAU**	Emirados Árabes Unidos	**LIU**	Lituânia	**RUN**	Reino Unido
BEL	Bélgica	**EQU**	Equador	**LUX**	Luxemburgo	**RUS**	Rússia
BOH	Bósnia-Herzegovina	**ESP**	Espanha	**MEX**	México	**SUI**	Suíça
BRA	Brasil	**EUA**	Estados Unidos da América	**NIC**	Nicarágua	**TAI**	Tailândia
CAN	Canadá	**FRA**	França	**NOR**	Noruega	**URU**	Uruguai
CHI	Chile	**GEO**	Geórgia	**NZL**	Nova Zelândia	**VEN**	Venezuela
CHN	China	**GRE**	Grécia	**PAQ**	Paquistão		
CIN	Cingapura	**HKG**	Hong Kong	**PBS**	Países Baixos		
COL	Colômbia	**IEM**	Iêmen	**POL**	Polônia		

Abreviaturas usadas neste atlas

arq.	arquipélago	est.	estação	l.	lago	pe.	padre	rib.	ribeirão
av.	avenida	estr.	estreito	la.	lagoa	pen.	península	*S*	sul
ba.	baía	expec.	expectativa	m	metro	PPC	paridade do poder de compra	S.	São
c.	cabo	g.	golfo	mo.	morro	pr.	príncipe	sa.	serra
ca.	cadeia	hab.	habitantes	mte.	monte	pret.	pretendido	st.	saint
ch.	chapada	i.	ilha	mts.	montes	prof.	professor	sta.	santa
cord.	cordilheira	is.	ilhas	MW	megawatt	pta.	ponta	sto.	santo
corr.	corrente	J.	José	*N*	norte	r.	rua	t	tonelada
cox.	coxilha	km	quilômetro	N. S.	Nossa Senhora	rep.	república	tróp.	trópico
dem.	democrática	km^2	quilômetro quadrado	na.	nacional	repr.	represa	UF	unidade federativa
des.	deserto	*L*	leste	nac.	nacionalista	rest.	restinga		
e. f.	estrada de ferro			*O*	oeste				

Bibliografia básica

AGÊNCIA NACIONAL DE MINAS E ENERGIA. *Atlas de energia elétrica do Brasil*. 3. ed. Brasília: Aneel, 2008.

AGÊNCIA NACIONAL DE TRANSPORTES AQUAVIÁRIOS. *Anuário estatístico portuário 2009*. Brasília: Antaq, 2010.

Almanaque Abril 2011. São Paulo: Abril, 2010.

BADIE, B.; TOLOTTI, S. (Dir.). *L'état du monde 2009*. Paris: La Découverte, 2008.

BANCO MUNDIAL. *Indicadores do desenvolvimento mundial 2008; 2009; 2010*. Washington, D.C.: The World Bank, 2008; 2009; 2010.

BONIFACE, P. (Dir.). *Atlas des relations internationales*. Paris: Hatier, 2008.

BONIFACE, P.; Védrine, H. *Atlas du monde global*. 2. ed. Paris: Armand Colin/Fayard, 2010.

CHARLIER, J. (Dir.). *Atlas du 21e siècle* – nouvelle edition 2007; 2010. Paris: Nathan, 2006; 2010.

COMISSÃO ECONÔMICA PARA A AMÉRICA LATINA E O CARIBE. *Emprego, desenvolvimento humano e trabalho decente*: a experiência brasileira recente. Brasília: Cepal/Pnud/OIT, 2008.

CONTI, J. B.; FURLAN, S. A. Geoecologia: o clima, os solos e a biota. In: ROSS, J. (Org.). *Geografia do Brasil*. 6. ed. São Paulo: Edusp, 2009.

DEPARTAMENTO NACIONAL DE PRODUÇÃO MINERAL. *Economia mineral do Brasil*. Brasília: DNPM, 2009.

INSTITUTO BRASILEIRO DE GEOGRAFIA E ESTATÍSTICA. *Anuário estatístico do Brasil 2000; 2001; 2002; 2003; 2006; 2007; 2008; 2009*. Rio de Janeiro: IBGE, 2001; 2002; 2003; 2004; 2007; 2008; 2009; 2010.

________. *Atlas do censo demográfico 2000*. Rio de Janeiro: IBGE, 2003.

________. *Atlas geográfico escolar*. 4. ed.; 5. ed. Rio de Janeiro: IBGE, 2007; 2009.

________. *Atlas nacional do Brasil*: Milton Santos. Rio de Janeiro: IBGE, 2010.

________. *Censo agropecuário 2006*: resultados preliminares. Rio de Janeiro: IBGE, 2007.

________. *Contas regionais do Brasil 2004-2008*. Rio de Janeiro: IBGE, 2010.

________. *Indicadores de desenvolvimento sustentável*: Brasil 2010. Rio de Janeiro: IBGE, 2010.

________. *Pesquisa nacional por amostra de domicílios 2006*. Rio de Janeiro: IBGE, 2008.

________. *Sinopse do censo demográfico 2010*. Rio de Janeiro: IBGE, 2011.

________. *Síntese de indicadores sociais 2008; 2009; 2010*. Rio de Janeiro: IBGE, 2008; 2009; 2010.

ISTITUTO GEOGRAFICO DE AGOSTINI. *Atlante geografico metodico 2010-2011*. Novara: De Agostini, 2010.

________. *Calendario atlante De Agostini 2009; 2010; 2011*. Novara: Istituto Geografico De Agostini, 2008; 2009; 2010.

KNAFOU, R. (Dir.). *Géographie*. Paris: Bellin, 2008.

LACOSTE, Y. *Géopolitique*: la longue histoire d'aujourd'hui. Paris: Larousse, 2006.

LE MONDE DIPLOMATIQUE. *L'Atlas du Monde Diplomatique*. Paris: Armand Colin, 2006.

________. *L'Atlas du Monde Diplomatique 2010*. Paris: Armand Colin, 2009.

MINISTÉRIO DO MEIO AMBIENTE. *Os ecossistemas brasileiros e os principais macrovetores de desenvolvimento*: subsídios ao planejamento da gestão ambiental. Brasília: MMA, 1995.

MONTEIRO, C. A. F. Clima. In: *Geografia do Brasil*. Grande Região Sul. Rio de Janeiro: IBGE, 1968.

NATIONAL GEOGRAPHIC. *Atlas National Geographic*. Portugal: National Geographic, 2005.

________. *Atlas of the World*. 9. ed. Washington D.C.: National Geographic, 2010.

ORGANIZAÇÃO DAS NAÇÕES UNIDAS. *World urbanization prospects*: the 2009 revision. Nova York: ONU, 2010.

OXFORD. *Essential World Atlas*. Nova York: Oxford University Press, 2007.

Philip's Atlas of the world 2005-2006. London: Octopus, 2005.

PROGRAMA DAS NAÇÕES UNIDAS PARA O DESENVOLVIMENTO. *Rapport mondial sur le développement humain 2007-2008; 2009; 2010*. Nova York: Pnud, 2007; 2009, 2010.

ROSS, J. (Org.). *Geografia do Brasil*. 6. ed. São Paulo: Edusp, 2009.

SANTOS, M.; SILVEIRA, M. L. *O Brasil*: território e sociedade no início do século XXI. Rio de Janeiro: Record, 2005.

THÉRY, H.; MELLO, N. A. *Atlas do Brasil*: disparidades e dinâmicas do território. São Paulo: Edusp, 2005.

UNITED NATIONS HIGH COMMISSIONER FOR REFUGEES. *Asylum levels and trends in industrialized countries 2010*. Genebra: UNHCR, 2011.

________. *Global trends 2010*. Genebra: UNHCR, 2011.

Bases eletrônicas

APEC – Cooperação Econômica Ásia-Pacífico: www.apec.org

British Petroleum: www.bp.com

CEI – Comunidade dos Estados Independentes: www.cis.minsk.by

FAO – Organização das Nações Unidas para Agricultura e Alimentação: www.fao.org.br

Government of Sudan South: www.goss.org

IBAMA – Instituto Brasileiro do Meio Ambiente e dos Recursos Naturais Renováveis: www.ibama.gov.br

Infraero: www.infraero.gov.br

INMET – Instituto Nacional de Meteorologia: www.inmet.gov.br

ISA – Instituto Socioambiental: www.isa.org.br

Japan External Trade Organization: www.jetro.go.jp

OMC – Organização Mundial do Comércio: www.wto.org

União Europeia: http://europa.eu